LOS FUTBOLÍSIMOS

EL MISTERIO DEL OBELISCO MÁGICO

Roberto Santiago

Ilustraciones de Enrique Lorenzo

LITERATURA**SM**•COM

Primera edición: agosto de 2017
Tercera edición: febrero de 2018

Gerencia editorial: Gabriel Brandariz
Coordinación editorial: Berta Márquez
Coordinación gráfica: Lara Peces

Ilustraciones: Enrique Lorenzo
Asistente de color: Santiago Lorenzo

Impresores, 2
Parque Empresarial Prado del Espino
28660 Boadilla del Monte (Madrid)
www.grupo-sm.com

ATENCIÓN AL CLIENTE
Tel.: 902 121 323 / 912 080 403
e-mail: clientes@grupo-sm.com

ISBN: 978-84-675-9441-6
Depósito legal: M-23259-2017
Impreso en la UE / *Printed in EU*

–Bienvenidos al aeropuerto internacional de Ezeiza.

Miro a mi alrededor: el enorme vestíbulo del aeropuerto está repleto de viajeros.

Hay andamios en las paredes, y operarios con monos de color azul por todas partes.

–Les pedimos disculpas por las molestias que las obras de acondicionamiento y mejora del aeropuerto les puedan ocasionar –sigue la voz.

Giro alrededor de una columna y busco con la mirada.

La voz de la megafonía continúa:

–Para retirar sus valijas, por favor, comprueben el número de su vuelo en las pantallas electrónicas.

Levanto la vista hacia el panel con el número de las cintas que transportan las maletas.

«Vuelo procedente de Madrid: cinta 15».

Sigo adelante. No hay tiempo que perder.

Veo al fondo a mi amigo Camuñas, que me hace un gesto con la mano.

–¡Allí!

Corro hacia el lugar que señala.

En ese preciso instante, lo veo.

Volando sobre las cabezas de los viajeros aparece... ¡un balón de fútbol!

No es un balón cualquiera.

Es el balón de los Futbolísimos.

Mis amigos y compañeros de equipo.

O, al menos, los que estamos allí en ese momento:

Marilyn, Toni, Anita, Tomeo, Angustias, Ocho, Camuñas y yo.

Falta un miembro muy importante del equipo: Helena con hache.

En realidad, todo aquel viaje a Buenos Aires lo hacíamos para verla a ella. Bueno, y para jugar un torneo también.

Pero luego lo explicaré.

Ahora tengo que correr detrás del balón.

Es muy importante.

Pego un salto y llego junto a la cinta que transporta las maletas.

El balón cae y cae...

–¡Noooooooooo! –gritamos Camuñas y Anita y Angustias y yo al mismo tiempo, sin dejar de correr.

El balón va directo hacia el suelo. Nadie puede impedirlo, es imposible que lleguemos a tiempo...

¡Pero en el último segundo, subido a una enorme maleta roja, aparece Ocho!

Es tan pequeño que ha trepado a la cinta sin que nadie le vea.

Se tira en plancha.

¡Y le da con la cabeza al balón!

La pelota sube hacia el centro de la sala.

La voz de la megafonía dice:

–Les recordamos a los señores pasajeros que no está permitido subirse a la cinta que transporta las valijas... ¡Y que no se puede jugar al fútbol dentro de las instalaciones del aeropuerto!

Hay algunas risas y comentarios entre los presentes.

–Pero si no estamos jugando al fútbol –protesta Toni muy serio.

El balón rebota en uno de los andamios. Luego choca contra un panel luminoso. Y, por último, cae.

Por suerte, Tomeo y Marilyn llegan a tiempo.

Tomeo intenta parar la pelota con el pecho, pero la verdad es que es un poco torpe y consigue justo lo contrario de lo que busca: el balón sale impulsado hacia el suelo.

Por suerte, Marilyn, que es la capitana y la más rápida del equipo, da una gran zancada y se tira con los pies por delante.

Sin pensarlo ni un segundo, le da un puntapié al balón con todas sus fuerzas.

La pelota vuelve a salir disparada.

–¡Repetimos a las señoras y señores pasajeros que no está permitido jugar al fútbol dentro del aeropuerto internacional de Ezeiza!

Por supuesto, no hacemos ningún caso a esa chica tan simpática que habla a través de la megafonía.

Como ha dicho Toni, no estamos jugando un partido de fútbol.

Tenemos que conseguir nuestro objetivo como sea.

Hemos hecho una apuesta con Felipe y Alicia, nuestros entrenadores.

Durante el vuelo hemos visto un anuncio de publicidad en el que los jugadores de fútbol más famosos del mundo recorren una ciudad entera dando balonazos sin que la pelota toque el suelo.

Marilyn dijo que nosotros podíamos hacer algo parecido.

Cruzar el aeropuerto pasándonos la pelota sin que llegue a tocar el suelo.

Enseguida, Tomeo, Toni y los demás se entusiasmaron.

–¡Me apuesto cien flexiones a que somos capaces! –exclamó Camuñas.

–¡Hecho! –dijo Felipe rascándose la barba–. ¡Si lo conseguís, Alicia y yo haremos las flexiones! ¡Si no... las haréis vosotros!

–Pero, Felipe, no te comportes como un chiquillo –trató de protestar Alicia.

–Mujer, es para motivar a los niños –se excusó él.

Alicia y Felipe son nuestros entrenadores y además son novios o, mejor dicho, marido y mujer. Se casaron en la isla de Tabarca durante un torneo que jugamos hace algún tiempo. Normalmente discuten por casi todo, pero luego siempre están de acuerdo en lo más importante: lo mucho que les gusta el fútbol.

El caso es que hemos aceptado la apuesta.

Y estamos en marcha.

Cruzando un vestíbulo gigantesco en obras delante de miles de personas...

¡Y dando balonazos!

¡Tenemos que conseguir llegar hasta la puerta de salida sin que la pelota toque el suelo en ningún momento!

–¡Mía! –grita Toni.

Se acerca a la pared, toma impulso y, según baja, ¡le da un tremendo golpe al balón!

Una vez más, sale disparado.

Cada vez estamos más cerca.

Ya no queda mucho para llegar hasta la puerta.

Camuñas corre hacia el lugar donde va a caer la pelota.

Seguido por Anita y Angustias.

Mientras tanto, yo avanzo hacia el otro extremo, por si acaso.

Alicia y Felipe contemplan el espectáculo con la boca abierta.

–Al final lo van a conseguir –murmura Felipe, perplejo.

–Pues las flexiones las haces tú –replica la entrenadora–. Yo no tengo nada que ver.

Camuñas va directo a por el balón antes de que caiga, pero alguien le agarra de un hombro.

–¿Qué pensás que hacés, boludo? –le suelta una mujer con un abrigo rojo y un enorme bolso–. ¿No escuchaste el aviso de megafonía? ¡Aquí no se juega al fútbol, muchachito!

–¡Pero, señora, que esto es muy importante! –trata de decir Camuñas–. Tenemos que llevar el balón hasta...

¡ZASCA!

Sin atender a explicaciones, la señora le arrea un bolsazo.

–¡No me contestés! –exclama.

–Ayyyyyyyyyy –protesta Camuñas, intentando defenderse.

¡ZASCA!

Otro bolsazo.

–Pero oiga...

¡La pelota cae justo en ese momento!

¡El pobre Camuñas se agacha, intentando protegerse de los bolsazos!

¡Sin que él se dé cuenta, el balón... le da en el culo!

¡Y sale rebotado!

¡La ha salvado de milagro!

Anita corre y golpea la pelota con la cabeza.

Angustias se la devuelve con un hombro.

Anita, con la rodilla.

Angustias, con el pecho.

Se la pasan varias veces entre ellos dos.

¡Están atascados!

No son capaces de avanzar. Se pasan el balón asustados, con miedo de que caiga al suelo.

–¡Dejad de hacer el tonto y dadle de una vez! –grita Toni.

–¡Hacemos lo que podemos! –replica Anita, molesta–. ¡Y a mí no me digas lo que tengo que hacer!

Enfadada, Anita le pega un patadón a la pelota.

Ahora sí que sale disparada hacia lo alto, ¡hacia la puerta de salida!

¡Podemos conseguirlo!

–¡Bien hecho, Anita! –grito, corriendo hacia la puerta.

Un último toque y habremos llegado.

Pero entonces...

¡Aparece una grúa en lo alto del vestíbulo!

¿¡Qué hace una grúa aquí en medio!?

Por mucho que esté en obras, debería estar prohibido que instalen una grúa de esas dimensiones en un vestíbulo con pasajeros.

¡Es gigantesca!

La grúa gira en el aire y choca con la pelota.

¡CLONC!

Le da un golpetazo.

Y cambia completamente la trayectoria de la pelota, que ya no se dirige hacia la puerta de salida...

Sino hacia el otro extremo: ¡la puerta de entrada!

Y lo que es peor: ¡cae a toda velocidad!

Es totalmente injusto.

Aquella grúa había surgido de la nada.

Aprieto los puños y corro con todas mis fuerzas.

–¡Vaaaaaamos, Pakete! ¡Corre! –me animan mis compañeros.

Pakete soy yo. En realidad me llamo Francisco, pero desde que fallé cinco penaltis seguidos en la liga, todos me llaman Pakete.

–¡Por favor, paso, paso, paso! –grito mientras corro esquivando personas y maletas.

Es imposible.

Por mucho que corra, no puedo llegar, no hay nada que hacer.

Veo el balón volando por última vez, directo hacia el suelo.

Está a punto de chocar.

Y entonces, justo en el último instante...

¡Entra por la puerta un carrito!

Y, subido a él, alguien a quien conozco muy bien: ¡Helena con hache!

¡Mi compañera de equipo que se ha ido a vivir a Buenos Aires!

El carrito llega a la altura del balón con ella encima.

Sin bajarse, Helena... ¡le pega un chut con la pierna derecha!

¡Una volea perfecta!

La pelota sale directa hacia la puerta de salida.

La atraviesa.

Y por fin... sale del vestíbulo.

¡¡¡Sin tocar el suelo!!!

–¡Bieeeeeeeeeen! –gritan Tomeo y Marilyn y Anita y los demás.

–¡Toma ya, flexiones! –grita Camuñas.

Por el impulso de la carrera, voy a parar justo delante del carrito.

Tropiezo y caigo a los pies de Helena con hache.

Ella me mira con sus enormes ojos y sonríe.

–¿Me has echado de menos? –pregunta.

Llevo todo el viaje pensando en verla. Desde que se ha marchado a vivir a Argentina, el equipo no es el mismo.

Estoy a punto de responder, pero no puedo abrir la boca.

Porque en ese momento llegan corriendo dos hombres con una placa de policía en la mano y agarran a Helena.

–¡Policía federal! –dice uno de los hombres–. ¡Quedás detenida!

–¿Por qué? –pregunta ella.

–¡Por entrar en zona restringida sin billete! –responde el otro–. Un aeropuerto es un lugar muy serio, muchachita. Los gallegos piensan que pueden hacer siempre lo que les da la gana. Pero no es así. Estás detenida.

Helena me mira y se encoge de hombros, resignada.

–Aquí a todos los españoles nos llaman gallegos –me explica.

Inmediatamente, los dos policías se la llevan.

2

Habían pasado tres meses desde la última vez que vi a Helena con hache.

Exactamente 95 días.

Los tenía apuntados: 95 días, 4 horas y... veintiocho minutos.

¡Muchísimo tiempo!

Helena es la mejor del equipo.

Juega de media punta y lleva el número 6 en la camiseta.

Desde que se marchó, hemos perdido casi todos los partidos de la liga.

Y lo que es más grave...

Desde que ella se fue, yo no he metido ni un gol.

¡Ni siquiera uno!

No sé si una cosa tiene que ver con la otra. Pero el caso es que, desde que Helena se marchó del equipo, habíamos jugado un montón de partidos...

¡Y yo no había metido ni un solo gol!

A lo mejor era casualidad.

Para un delantero, no meter ni un gol durante tres meses es una verdadera catástrofe.

Yo siempre había jugado de titular. Sin embargo, si seguía así, los entrenadores me dejarían en el banquillo. Ya me lo había advertido Alicia:

–Pakete, tienes que esforzarte. El equipo necesita tus goles.

Lo había intentado todo. Me entrenaba más que nadie. Ensayaba los penaltis y las faltas y los saques de esquina. Intentaba no pensar en ello. Jugaba con más ganas que nunca. Pero nada. El balón no quería entrar en la portería.

Tal vez, ahora que volvía a verla, mi suerte cambiaba.

Helena también es la que tiene los ojos más grandes de todo el colegio, y puede que de toda la sierra.

Se marchó en Navidad a vivir con su padre a Buenos Aires.

Su padre se llama Bernardo, y está separado de la madre de Helena.

Hacía poco, Bernardo se había casado con una mujer argentina que tenía una hija de nuestra edad: Rosita, la hermanastra de Helena.

Por lo visto, ahora las dos jugaban juntas en el equipo de su nuevo colegio.

Gracias a Bernardo, nos habían invitado a jugar un torneo de fútbol muy importante en Buenos Aires aprovechando las vacaciones de Semana Santa.

Habíamos viajado con los entrenadores y también con otros dos adultos:

Esteban, el director del colegio.

Y Emilio, mi padre, que es el policía del pueblo.

Mi madre y otras madres habían protestado porque, al parecer, ellas también querían venir. Pero Esteban dijo que en el último viaje a Disneyland París ya habían ido las madres acompañándonos, y que ahora les tocaba a ellos. Además, no había dinero para que viajaran todos.

El caso es que, tras mucho discutir, decidieron que Felipe, Alicia, Esteban y mi padre vinieran con nosotros.

Y allí estábamos.

A miles de kilómetros de casa.

En el aeropuerto de Ezeiza, Buenos Aires.

Esperando a ver si los policías soltaban a Helena.

Después de coger nuestras maletas, salimos a una zona del aeropuerto en la que había oficinas para cambiar dinero y alquilar coches. También había un puesto de información turística, y un poco más allá, la comisaría.

Bernardo había entrado para hablar con los agentes que se llevaron a Helena.

Según explicó, lo más probable era que le pusieran una buena multa por colarse sin billete en la zona de viajeros.

–¿Pero la policía puede detener a una niña? –preguntó Alicia, extrañada.

–No creo –respondió mi padre rascándose la barbilla–. No conozco las costumbres de aquí, pero vamos, que una niña es una niña en cualquier parte del mundo.

–Hombre, Emilio, tú de eso sabrás un poco, que para algo eres policía municipal –dijo Esteban.

–Y a mucha honra –terció mi padre.

–No os preocupéis. Seguro que la sueltan enseguida –murmuró Felipe.

–Más vale –le soltó Alicia–, porque todo ha sido por tu culpa. ¿A quién se le ocurre decirles a los niños que se pongan a dar balonazos en medio de un aeropuerto?

–Mujer, yo no se lo he dicho. Además, cómo iba a imaginar yo que... –trató de decir el entrenador.

Pero Marilyn le cortó. Levantó la mano señalando al frente y dijo:

–¡Mirad, ya salen!

Se abrió una pequeña puerta al fondo, y allí apareció Helena.

A su lado se encontraba su padre.

Bernardo se reía y charlaba amistosamente con los mismos policías que un momento antes la habían detenido.

Me fijé detenidamente en ellos. Los dos tenían un gran bigote que se tocaban al mismo tiempo. Y ambos iban vestidos con una chaqueta de cuadros y botines. Se parecían mucho; la única diferencia es que uno era muy alto y el otro muy bajo.

Nos acercamos a toda prisa. Sin atrevernos a decir nada.

–Ha sido un placer –dijo Bernardo, despidiéndose de los guardias–. Muchas gracias, agentes, de verdad.

–Mucho gusto –dijo el policía más alto, dándole la mano muy simpático–. Tenías que habernos dicho antes que sos el presidente del Consejo Escolar de La Loma.

–Aquí estamos para lo que vos quieras –asintió el más bajo, acariciándose el bigote.

Se dieron la vuelta y volvieron a cruzar la puerta, murmurando entre ellos.

Mi padre se acercó a Bernardo.

–Estábamos preocupados –dijo.

–Nada. En cuanto se han enterado de que somos de La Loma, todo arreglado –dijo Bernardo, como si estuviera clarísimo–. Le han recordado a Helena que para otra vez no se puede pasar por ahí sin billete, y ya está.

Nos miramos sin entender nada.

Helena vio nuestras caras y explicó:

–La Loma es mi colegio. El que organiza el torneo de fútbol que habéis venido a jugar. Todo el mundo lo conoce acá.

–¿Y por qué lo conocen? –preguntó Marilyn.

–¿Has dicho «acá»? –pregunté yo, extrañado de que ya se le hubieran pegado algunas expresiones argentinas.

–Pues lo conocen porque La Loma es el mejor colegio de Buenos Aires –intervino Bernardo–. Allí han estudiado presidentes de la República, escritores y artistas famosos y, por supuesto, grandes futbolistas argentinos.

–¿Ha estudiado Messi en ese colegio? –preguntó Tomeo emocionado.

–Messi no.

–¿Maradona?

–Tampoco.

–¿Simeone?

–No, creo que no.

–Entonces, ¿quién?

–No me acuerdo ahora... Otros jugadores –dijo Bernardo–. Pero bueno, lo importante: ¿estáis contentos de venir a Buenos Aires?

–Sí, claro.

–Sí, sí, muchísimo.

–Muy contentos.

–Te agradecemos sinceramente la invitación, Bernardo –dijo Esteban muy serio–. Es un honor para el colegio Soto Alto venir a la Argentina.

–Sí, hombre, sí –respondió él–. Pero no me deis las gracias a mí: la idea fue de Helena.

Toni se acercó a ella y le dijo:

–Estábamos deseando venir acá.

–Qué tonto eres –respondió Helena riéndose.

No sé de qué se reía, la verdad.

Yo creo que no había tenido ninguna gracia.

Yo también había dicho «acá» un momento antes y nadie se había reído.

Toni es el máximo goleador del equipo y siempre le gusta hacerse el chulito y el gracioso. Hace mucho tiempo, llegué a pensar que a Helena a lo mejor le gustaba un poco. Pero a mí eso me da igual. No me interesa lo más mínimo quién le gusta a quién ni ninguna de esas cosas. A mí no me gusta ninguna chica del mundo.

Yo echaba de menos a Helena porque es mi amiga y porque me encanta jugar con ella al fútbol y ya está. Que sea muy guapa y muy simpática y tenga unos ojos muy bonitos no tiene nada que ver. Y se acabó el tema.

Siguieron riéndose un buen rato.

Toni repitió:

–Acá.

Y le guiñó un ojo a Helena.

Lo prometo: ¡le guiñó un ojo delante de todo el mundo!

Ella no paraba de reírse.

Poco a poco, los demás también empezaron a reírse.

Todos mis compañeros del equipo se reían.

Incluso los mayores.

Pufffffff.

Toni estaba en su salsa.

Dijo otras palabras argentinas, como:

–Pibe.

O:

–Boludo.

Y todos le rieron la gracia.

Tal vez era por cómo lo decía. O por los nervios del viaje. O porque Toni era el más gracioso del mundo y yo no era capaz de darme cuenta.

Me acerqué a Camuñas y le pregunté en voz baja:

–¿Y tú por qué te ríes?

–No lo sé –respondió sin parar de reír.

–Todavía no me has dicho nada.

Estábamos atravesando la ciudad de Buenos Aires en un autobús, camino de la residencia en la que nos íbamos a alojar.

Yo me había sentado solo en la última fila.

Mirando por la ventanilla.

En ese momento cruzábamos una gran avenida muy larga del centro llena de coches y de peatones que se llama Avenida 9 de Julio y que, según nos explicó Bernardo, es la más ancha del mundo.

El padre de Helena no hacía más que dar explicaciones de la ciudad. Por lo visto, allí al lado también estaba la calle Corrientes, que era conocida como «la calle que nunca duerme» porque había muchísimos teatros, pizzerías y librerías que abrían casi toda la noche. Se trataba de un lugar enorme, lleno de letreros luminosos que a esa hora de la tarde justo se estaban encendiendo.

–No me has dicho nada –repitió la voz.

Me giré y, sentada a mi lado, vi a Helena.

–Ni siquiera me has dicho «hola» –insistió.

La miré y se me olvidó todo lo demás.

Me alegré muchísimo de estar al lado de Helena.

–Hola –dije.

Ella sonrió.

Cuando Helena con hache sonreía, sucedía una cosa muy rara: daba la sensación de que todo lo demás daba igual.

Absolutamente todo.

–Han pasado noventa y cinco días desde la última vez que nos vimos –dijo.

Me quedé en shock.

¿Ella también los había contado?

–Ah, no me había dado cuenta –respondí, haciéndome el distraído.

No quería que pensara que la echaba mucho de menos y todo eso.

–¿Qué tal van los Futbolísimos sin mí? –preguntó bajando la voz para que no la escucharan los entrenadores ni el director del colegio o mi padre, que estaban unos asientos más adelante.

Los Futbolísimos es un pacto secreto que solo conocemos nosotros nueve y que consiste en que hemos prometido ayudarnos y jugar siempre juntos, pase lo que pase.

Nadie más puede conocerlo.

Aunque en realidad había otra persona que lo sabía: Rosita, la hermanastra.

Cuando estuvo en Navidad en el pueblo, lo descubrió. Y prometió que no se lo diría a nadie. Bueno, y también me dio un beso aprovechando que estuvimos jugando a las tinieblas, pero eso ahora no tiene nada que ver y no sé por qué me he acordado de repente.

–Pues la verdad es que hemos perdido casi todos los partidos desde que te fuiste –respondí.

–Vaya, lo siento mucho –dijo.

–Y yo no he metido ni un gol desde Navidad.

–¿No has marcado ningún gol desde que me marché?

Negué con la cabeza.

–¿Ni uno solo?

–Nada.

–Bueno, una mala racha la tiene cualquiera. Seguro que pronto metes un golazo de los tuyos –dijo, y a continuación cambió de tema–: ¿Y qué misterios habéis resuelto durante estas semanas?

Los Futbolísimos, además de jugar al fútbol, también nos dedicamos a investigar misterios. Normalmente, cosas que los adultos no son capaces de comprender o ni siquiera se dan cuenta de que se trata de un verdadero misterio.

–Ninguno –admití–. Últimamente ha estado todo muy aburrido sin ti.

Tuve ganas de preguntarle si tenía pensado volver al pueblo en algún momento.

Estaba deseando que regresara.

Pero no me atreví a decírselo.

En la otra punta del autobús, Bernardo se puso en pie y exclamó:

–¡Atención todos: a vuestra derecha podéis ver el famoso obelisco! ¡Uno de los grandes símbolos de Buenos Aires!

Todos volvimos la cabeza hacia la derecha y, efectivamente, allí apareció un gran monumento de piedra muy alto en mitad de una plaza. Era de color blanco y acababa en punta.

–Mide sesenta y siete metros y medio –continuó Bernardo–. Se construyó en 1936 para celebrar el cuarto centenario de la fundación de la ciudad...

–¡Mola! –exclamó Tomeo.

–Lo construyó el arquitecto Alberto Prebisch –añadió Anita, que además de ser la portera suplente siempre sabe un montón de cosas–. Y en la punta tiene un enorme pararrayos, que no se puede ver desde abajo por la gran altura del monumento.

–Me encanta –dijo Marilyn, observándolo a través de las ventanas del autobús.

–Buah, no es para tanto –dijo Toni–. A mí me gusta más la fuente del pueblo.

–No vas a comparar –replicó Anita–. El obelisco de Buenos Aires es famoso en el mundo entero.

–Pues la fuente de Sevilla la Chica es superfamosa en... el pueblo entero –replicó.

Todos rieron la ocurrencia de Toni.

Ya estábamos otra vez.

A mí no me molestaba que Toni dijera tonterías. Eso me daba igual. Lo que no podía entender es que mis amigos se rieran de esa manera al escucharle.

Y mucho menos Helena.

No sé qué le hacía tanta gracia.

Me quedé contemplando el obelisco.

Era enorme.

A esa hora, iluminado por los últimos rayos de sol del día, las piedras blancas parecían coger un color casi anaranjado.

Me pareció muy chulo, no había visto nada igual.

Dejamos atrás la plaza y, poco a poco, fue desapareciendo de nuestra vista.

Un minuto después, el autobús se detuvo.

–¿Ya hemos llegado al hotel? –preguntó Marilyn.

–Primero: no vais a dormir en un hotel –anunció Bernardo–, sino en la residencia de La Loma, que está a las afueras de la ciudad. Y segundo: antes tenemos que hacer una parada en el gran teatro Colón. Lo tenéis justo delante de vosotros.

A través del cristal delantero, podía verse un gran edificio muy antiguo.

–¿Vamos al teatro ahora? –preguntó Ocho.

–Te lo agradecemos mucho, Bernardo –intervino Alicia–, pero los chicos están un poco cansados del viaje. Yo creo que lo del teatro podemos dejarlo para otro día.

–No vamos al teatro –dijo en plan misterioso Bernardo–. O sea, sí vamos al teatro, pero no para ver una obra, ni para conocer este edificio emblemático, ni para hacer una excursión.

–¿Y para qué vamos entonces? –preguntó mi padre.

–Pues muy sencillo –respondió él mirando su reloj–. Dentro de cinco minutos exactamente, va a empezar el acto de presentación del torneo de fútbol que habéis venido a jugar. Aquí mismo, en el Teatro Colón.

–¿Y por qué no se hace la presentación en un campo de fútbol? –preguntó Felipe.

–¿O en el colegio? –añadió Esteban.

–Ahora mismo lo vais a entender –contestó Bernardo muy serio.

Todos nos miramos intrigados.

4

BIENVENIDOS AL TORNEO DEL OBELISCO

Había una pancarta gigante, roja y blanca, en la parte superior del escenario, delante del telón.

En un lateral colgaban dos banderolas con letras doradas:

50 ANIVERSARIO.

Y debajo, un escudo con una doble L entrelazada: el escudo de La Loma.

El patio de butacas y los palcos estaban iluminados, completamente llenos de gente.

Nos sentaron en la parte de atrás, en la última fila junto al pasillo.

–¿Qué hacemos aquí? –me preguntó Camuñas.

–No tengo ni idea –respondí.

Miré a mi alrededor.

Bernardo y Helena habían desaparecido.

–El Teatro Colón está considerado uno de los tres mejores del mundo –dijo Anita–, por su tamaño y su acústica.

–¿Es que siempre tienes que hablar como si fueras una empollona? –le dijo Toni.

–No soy ninguna empollona –se defendió ella–. Simplemente tengo curiosidad por saber cosas. No como otros.

–No os peleéis, por favor –dijo Felipe–, y disfrutad del momento. Mirad qué teatro tan bonito.

–Me apuesto otras cien flexiones a que soy capaz de mandar el balón directamente al palco ese de ahí arriba –dijo Toni señalando al segundo piso.

–Eso es imposible –intervino Marilyn.

–¿Quieres verlo?

–¡Ni se os ocurra! –zanjó Alicia–. Bastante hemos tenido ya en el aeropuerto. Como alguien saque un balón aquí en medio, se queda sin jugar ni un partido en todo el viaje. Quedáis advertidos.

Bernardo llegó corriendo y se acomodó en una butaca.

–¡Está a punto de empezar! –exclamó–. ¡Qué emocionante!

Mi padre y Esteban se sentaron a su lado.

Justo en ese momento, se apagaron las luces del teatro.

Todo el mundo se quedó en silencio.

No se oía nada, ni un pequeño murmullo.

Un gran foco iluminó el escenario.

El telón rojo y dorado se abrió lentamente.

Al mismo tiempo, se empezó a escuchar una canción.

Eran varias voces en directo.

Tarareando a pleno pulmón, sin ningún instrumento musical.

Supongo que era un coro.

> Tam tam tam ratatatam.
> Tam tam tam ratatatam.

Mientras el telón se abría, las voces iban subiendo más y más de volumen.

> ¡Tam tam tam ratatatam!
> ¡¡Tam tam tam ratatatam!!

Hasta que por fin se pudo ver en mitad del escenario un grupo de doce niños y niñas formando un semicírculo, cantando. Iban vestidos con una especie de toga de color rojo que les llegaba hasta los pies.

Se encendieron las luces detrás de ellos, al ritmo de las voces.

La verdad es que cantaban muy bien.

Nunca había visto algo así para presentar un torneo de fútbol, pero a lo mejor era una costumbre que tenían aquí.

Uno de los niños, uno muy moreno con tanto pelo que casi le tapaba la cara, dio un paso al frente y comenzó a cantar:

Escuchen, amigos, con ardor mi canción,
que habla de esfuerzo, valía y pasión.
No solo canto de fútbol, de un torneo épico,
también de un hechicero y un trofeo mágico.

El coro repitió el estribillo:

¡¡¡No solo canto de fútbol, de un torneo épico,
también de un hechicero y un trofeo mágicoooo!!!

Angustias se revolvió en su butaca y preguntó asustado:

–¿Ha dicho «hechicero»?

–Creo que sí. Glups –respondió Tomeo.

Entonces, de la parte superior del escenario, surgió una vitrina de cristal iluminada por un potente foco blanco.

La vitrina bajaba suspendida en el vacío delante de todo el mundo. Supongo que la sujetaba algún cable, pero a primera vista daba la sensación de que bajaba volando.

Se escuchó un «ooooooooooooooooooooooh» en el patio de butacas.

El coro acompañó la bajada:

> ¡Tam tam tam ratatatam!
> ¡¡Tam tam tam ratatatam!!

Lentamente, la vitrina continuó su descenso hasta posarse en el escenario.

Y al fin pudimos contemplar lo que había en su interior: un obelisco.

Casi idéntico al que habíamos visto en la plaza un momento antes. Pero mucho más pequeño, claro.

Brillaba reluciente dentro del cristal.

El niño moreno señaló la vitrina y siguió cantando:

> No hay trofeo en el mundo
> como el famoso obelisco.
> No hay montaña ni risco
> tan especial ni tremebundo.

Se oyeron murmullos y algunos aplausos.

Mientras, el coro repetía:

> ¡No hay trofeo en el mundo
> tan especial ni tremebundo!

La canción continuó, ahora con los doce niños al mismo tiempo:

> En el campo de fútbol alzamos los corazones.
> Saltamos, corremos, volamos como dragones.
> Con el balón en los pies hacemos un poema.
> Somos del colegio La Loma su emblema.

Apenas terminaron de decir la palabra «emblema», los doce al mismo tiempo se quitaron la toga que los cubría.

Debajo iban todos vestidos de futbolistas.

Con camiseta y pantalón rojo.

Los números y los nombres grabados en caracteres dorados.

Todos a un tiempo volvieron a tararear:

> ¡Tam tam tam ratatatam!
> ¡¡Tam tam tam ratatatam!!

En realidad no era un coro...

¡Era el equipo de fútbol de La Loma!

Me fijé en una niña que estaba en una esquina en la segunda fila.

Era...

Sí, era...

¡Helena con hache!

Allí estaba, cantando con el resto.

Y a su lado había otra niña que también conocía...

¡Rosita!

La hermanastra.

Con su pelo rojizo ensortijado.

Repitieron los doce a la vez:

> ¡En el campo de fútbol alzamos los corazones!
> ¡Saltamos, corremos, volamos como dragones!
> ¡Con el balón en los pies hacemos un poema!
> ¡Somos del colegio La Loma su... emblema!

Se colocaron en círculo.

En ese instante cayeron doce balones del techo.

Sin dejar que tocaran el suelo del escenario, los pararon con el pie.

El moreno, que llevaba un brazalete de capitán, dijo:

–¡Uno!

Todos al mismo tiempo, pasaron el balón a otro compañero.

–¡Dos!

De nuevo se volvieron a pasar la pelota, en un movimiento perfectamente sincronizado.

–¡Y tres!

Elevaron los balones y, antes de que cayeran...

¡Los doce los golpearon a la vez!

Parecían malabaristas.

Los balones salieron disparados...

¡Y cada uno entró directamente en un palco diferente!

–Mira, Toni –dijo Anita–, han hecho lo que tú decías: cada balón a un palco.

–Eso está chupado –contestó él.

Por mucho que dijera Toni, aquello era impresionante.

Los doce se colocaron en la parte delantera del escenario, cantando a pleno pulmón:

> ¡Con el balón en los pies hacemos un poema!
> ¡Somos del colegio La Loma su emblema!

Todo el público se puso en pie entusiasmado, aplaudiendo y vitoreando.

–¡Bravo!

–¡Bravísimo!

–¡Viva La Loma!

–¡Son macanudos!

En el escenario, los doce saludaron agachando sus cabezas.

Helena sonreía y miraba hacia el patio de butacas.

Por lo que se ve, mi amiga había aprendido unas cuantas cosas en los últimos tres meses.

A hacer malabarismos con el balón.

A cantar.

Y puede que otras cosas de las que yo no tenía ni idea.

Los espectadores seguían gritando y aplaudiendo enfervorecidos.

–¿Ese es el equipo contra el que vamos a jugar? –preguntó Angustias.

–Bueno, solo si llegáis a la final del torneo –aclaró Bernardo.

5

–Mi nombre es Gloria Besuievsky, aunque pueden ustedes llamarme señora Besuievsky o, simplemente, «la Besuievsky».

Una mujer con una gran melena blanca, los labios pintados de color rojo, zapatos de tacón y chándal también rojo estaba en mitad del escenario hablando con un micrófono en la mano.

Señaló la vitrina detrás de ella y dijo:

–Todo el mundo acá conoce el Trofeo del Obelisco.

Un murmullo recorrió el teatro.

–Lo que tal vez algunos no saben es que, después de cincuenta años, este obelisco será por primera y última vez para el equipo ganador. Quien gane el torneo este año se lo llevará para siempre. ¡Llegó la hora de la verdad!

La Besuievsky levantó el puño y el patio de butacas estalló en aplausos.

Miré a Camuñas. No sabíamos de qué estaba hablando.

–¿Pero es que otros años el equipo ganador no se ha llevado el trofeo? –pregunté.

Al escucharme, Bernardo respondió:

–En cada torneo se lo ha llevado el equipo ganador. Pero al año siguiente lo traen de vuelta. Es la norma. Esta va a ser la primera vez que quien gane se lo quedará para siempre.

–¿Y eso por qué? –preguntó Tomeo.

–Pues está claro –dijo Bernardo–. Porque es el cincuenta aniversario.

–Ah.

La gente siguió aplaudiendo un buen rato, mientras la entrenadora levantaba una y otra vez el puño.

Después del espectáculo con los balones, habían hecho una presentación en vídeo de la historia del torneo, con imágenes de los últimos cincuenta años.

Y a continuación habían subido al escenario tres personas.

Un hombre muy elegante, con el pelo engominado, vestido con un traje azul y una corbata roja, que por lo visto era el director del colegio La Loma.

Otro hombre más joven y más bajito, también con traje azul y corbata, que no tengo ni idea de quién era.

Y, por último, la Besuievsky, entrenadora del equipo de fútbol de La Loma.

Al fin, ella bajó la mano y la gente dejó de aplaudir.

Se acercó mucho el micrófono a los labios y susurró:

–Mucha suerte para todos los participantes. La necesitarán si quieren vencer a La Loma. ¡Arriba La Loma!

Los doce integrantes del equipo volvieron a entrar al escenario por un lateral, cantando y desfilando.

> En el campo de fútbol alzamos los corazones.
> Saltamos, corremos, volamos como dragones.
> Con el balón en los pies hacemos un poema.
> Somos del colegio La Loma su... emblema.

–Ya cansan con tanta cancioncita –protestó Toni.

–Pues a mí me parece que cantan muy bien –dijo Angustias–. Tienen una voz preciosa.

–A lo mejor deberíamos cantar nosotros también –murmuró Tomeo–. Mi madre y mi tía cantan en el coro de la iglesia.

–Conmigo no contéis –zanjó Camuñas.

–Ni conmigo –dijo Toni–. Lo que faltaba.

La Besuievsky se retiró la melena blanca del rostro. Parecía entusiasmada con su equipo.

–Señoras y señores, bienvenidos a Buenos Aires, la mejor ciudad del mundo entero –dijo–. Ahora le doy la palabra al director del colegio y a su ayudante para que les cuenten los pormenores de los partidos que se van a jugar: el orden, los horarios y esas cosas. Por favor, doctor Bianchi, si nos hace el honor.

Se giró hacia el hombre de la corbata roja y le cedió el micrófono.

Él sonrió, y se oyeron algunos tímidos aplausos.

Todo el mundo le miró.

El director al fin abrió la boca y, con su acento argentino, dijo:

–Soy el doctor Bianchi, director del colegio La Loma.

Inmediatamente empezaron a oírse risas.

¡Aquel hombre tenía la voz de pito más aguda que había escuchado en toda mi vida!

Algunos de los alumnos presentes exclamaron:

–¡Doctor Flautín!

–¡Director, cantá algo!

–¡Kikirikí!

Y más risas.

El director empezó a ponerse rojo.

–¿¡Quién dijo eso!? –preguntó muy enfadado–. ¡Esto es un acto serio, es el Torneo del Obelisco!

Cuanto más hablaba con su voz de pito, más risas.

–¡Pórtense bien! –protestó desde el escenario–. ¡Como director de La Loma, exijo un respeto!

Aquello iba a más.

Los que ya le conocían no paraban de reírse y hacer bromas imitándole.

–¡Obeliscoooooo!

–¡Respetooooo!

–¡Seguí hablando, por favor, no te calles!

Y los que le oían por primera vez, como mis compañeros, estaban asombrados.

–¡Me encanta el doctor Flautín! –exclamó Toni riéndose.

–No está bien reírse de los defectos de los demás –le corrigió Marilyn.

–¡Si no es un defecto! –se justificó Toni–. Es una voz preciosa. Ja, ja, ja, ja, ja.

La verdad es que nunca había escuchado a nadie con una voz de pito así.

En el escenario, detrás de él, los niños y niñas de La Loma trataban de contener la risa. Y la Besuievsky miraba para otro lado.

Hasta que el hombre bajito que le acompañaba, y que iba vestido exactamente igual que el director, agarró el micrófono, visiblemente molesto.

–¡Déjeme a mí, doctor! –exclamó decidido, cogiendo el micro con ambas manos–. ¡Soy Romero, el ayudante del doctor Bianchi! ¡El próximo que se ría va a tener un problema! ¡Quedan ustedes advertidos!

No podía ser cierto.

¡Romero tenía un vozarrón tremendo!

Parecía que estaba ronco, con aquella voz tan grave.

¡Era justo lo contrario que el doctor!

El patio entero estalló en carcajadas.

Todos los presentes, niños y mayores, reían sin parar.

–¿¡Pero se puede saber qué pasa ahora!? –preguntó con su vozarrón Romero, desesperado.

–Traé el micrófono. ¡Se van a enterar estos muchachitos! –siguió Bianchi con su voz de pito, enfadadísimo–. ¡Nos vamos a quedar callados, a ver qué tal!

Bajaron el micrófono y se quedaron ambos de pie, delante de todo el mundo, sin decir nada. Con los brazos cruzados.

Menuda pareja.

Los espectadores, entre risas, empezaron a corear:

–¡Que hablen, que hablen, que hablen!

El doctor Bianchi negó con la cabeza.

Y, a su lado, su ayudante Romero le imitó y también negó.

Bernardo, divertido en su butaca, nos dijo:

–Estos dos nunca escarmientan, ya veréis.

El teatro al completo era un clamor. La gente daba palmas y gritaba al unísono:

–¡Que hablen, que hablen, que hablen!

Después de resistirse unos instantes, el doctor Bianchi y Romero se miraron y cambiaron la expresión de su rostro, como si fueran a conceder a la audiencia lo que les estaban pidiendo.

Romero hizo un gesto con las manos, y la gente se fue callando.

Cuando el teatro al completo estuvo en silencio, el doctor Bianchi volvió a acercarse al micrófono y exclamó con su inconfundible voz de pito:

–Buenísimo... Vamos a contarles el calendario de competición del torneo.

Enseguida, Romero añadió con su voz grave y ronca:

–Pero ni una risa, ¿eh? A la primera carcajada, cortamos y se arreglan como puedan.

Los dos se quedaron mirando al patio de butacas, desafiantes. Esperando la reacción de la gente.

Nadie se movió. Ni una sola risa. Yo creo que todo el mundo se estaba conteniendo, esperando la siguiente frase.

Pero entonces alguien gritó desde su asiento:

–¡Doctor Flautín y ogro Romero!

Se lio una gordísima.

Todo el mundo empezó a reír al mismo tiempo.

Fue imparable.

Por mucho que ambos hicieron gestos, muecas y amenazas desde su posición, nadie les hizo ni caso.

Lo único que se oía dentro del teatro Colón eran risas y más risas.

Y algunos gritos.

–¡Son la pareja cómica del año!

–¡Bravo, doctor Risa!

–¡La Loma es una broma!

–¡Decí algo, por favor!

El doctor Bianchi y su ayudante se marcharon por un lateral del escenario sin decir nada, hartos y malhumorados.

Como la gente no paraba de reír y de gritar, las luces del teatro se apagaron y proyectaron un vídeo.

Era una presentación de los cuatro equipos que participaban en el torneo:

La Loma, de Argentina.

Soto Alto, de España.

Xuan Jung, de China.

Black Bull, de Estados Unidos.

El primer partido lo jugaríamos nosotros contra el Black Bull, equipo de Nueva York que llevaba más de dos años sin perder un solo encuentro.

Y después se disputaría el partido más esperado: el equipo anfitrión, La Loma, contra el campeón de Asia, Xuan Jung.

Los dos equipos ganadores se enfrentarían directamente en la gran final. Con el Trofeo del Obelisco en juego.

Yo estaba sentado en un extremo de la fila de butacas, prestando atención a las imágenes de la pantalla.

Mientras el vídeo continuaba explicando las reglas del torneo y los horarios de los partidos, escuché una voz cerca de mí, en medio de la oscuridad.

–¿Entonces me has echado de menos?

Di un pequeño respingo y me giré.

No se veía nada.

Era la misma pregunta que me había hecho Helena con hache en el aeropuerto.

Supuse que habría bajado del escenario y que se habría acercado por el pasillo del teatro hasta colocarse a mi lado.

Noté que su mano se posaba sobre la mía.

Mi respiración empezó a acelerarse.

No sabía qué hacer ni qué decir.

Había echado tanto de menos a Helena durante estos tres meses...

Tal vez era el momento perfecto para decírselo.

Estaba a punto de responder.

Cuando de pronto...

¡El vídeo se acabó y la luz se encendió de golpe!

Todo el mundo en el teatro aplaudió.

Excepto Toni, que me señaló y exclamó:

–¡Pakete está haciendo manitas con la hermanastra!

Todos mis compañeros de equipo se dieron la vuelta hacia mí.

La persona que tenía a mi lado, cogida de la mano, era...

¡Rosita!

La hermanastra de Helena.

La misma que en Navidad me había dado un beso aprovechando que jugábamos a las tinieblas.

Uffffffffffff.

Creo que me puse rojo de la vergüenza.

–No, no, no –traté de explicar, apartando mi mano–. Yo no... O sea, que no estoy haciendo manitas con nadie... No sabía que era Rosita...

Ella me sonrió.

–¿Quién te pensabas que era? –me preguntó la hermanastra.

–Eso, Pakete –insistió Toni riéndose–, ¿con quién creías que estabas haciendo manitas?

Todos me miraron expectantes.

Dijera lo que dijera, se reirían de mí.

Para colmo, también apareció Helena. Estaba delante de nuestra fila. Mirándome extrañada con sus enormes ojos.

–Pues... –dije– creía que... a ver cómo lo explico... Yo creía que era...

Cerré los ojos y dije lo primero que me vino a la cabeza:

–Creía que era... Angustias.

–¿¡QUÉ!? –exclamó el propio Angustias.

–¿Y por qué querías hacer manitas con Angustias? –preguntó Camuñas sin entender nada.

–¡Que yo no quería hacer manitas con nadie, a ver si os entra en la cabeza! –respondí–. Lo que pasa es que... como estaba todo muy oscuro... y todo el mundo sabe que Angustias a veces tiene miedo... pues le he cogido de la mano para que no se asustara... y ya está.

Todos me miraron sin mucho convencimiento. Creo que nadie se lo había tragado.

–¡Pakete y Angustias haciendo manitas, esa sí que es buena! –se rio Toni–. ¡Para meter goles eres un Pakete, pero para hacer manitas, un crack!

–¡Venga, ya está bien de tonterías, chicos! –le cortó Felipe desde el otro lado del pasillo–. ¡Vamos, en marcha, que esto ha terminado!

Poco a poco, fuimos saliendo todos del teatro.

Yo me quedé un poco retrasado del grupo, tratando de recuperarme por todo lo que había pasado.

Al pasar a mi lado, Rosita me susurró:

–Yo también te extrañé, morocho.

Y me guiñó un ojo.

¿Qué estaba pasando? ¿Es que era el día de guiñar los ojos y yo no me había enterado?

No tuve tiempo de responder ni decir nada.

Un momento después, Helena también se cruzó conmigo.

–A ver si alguna vez te atreves a decir la verdad –murmuró.

Tampoco a ella supe qué contestarle.

Tenía toda la razón.

Quizá tendría que haber dicho la verdad: que yo creía que la persona que me había cogido de la mano era ella.

Pero no me había atrevido a decirlo delante de todos.

Helena negó con la cabeza y se fue con los demás.

Cuando ya estábamos a punto de salir, Angustias se acercó a mí.

–A mí no me importa que me cojas de la mano si tienes miedo –dijo.

Y se alejó hacia la puerta principal.

Me quedé allí en medio.

Solo.

En el gran vestíbulo del teatro Colón.

Tuve la sensación de que aquel viaje a Buenos Aires no iba a ser fácil.

Y no había hecho más que empezar.

6

El guardia de seguridad levantó la barrera.

Era un hombre rechoncho con una nariz muy grande. Vestía un uniforme gris y rojo con el escudo de La Loma en el bolsillo delantero. Llevaba una gorra muy grande y apenas se le veían los ojos.

Estaba dentro de un puesto de seguridad.

Al pasar delante de la garita, el guardia saludó al conductor del autocar con un gesto de la mano.

Y por fin entramos en el colegio La Loma.

Por lo visto, es uno de los centros de estudios más importantes de la ciudad de Buenos Aires.

Todo el mundo lo conocía.

Por eso los policías los habían soltado tan rápido en el aeropuerto.

Según nos contó Bernardo, les había prometido entradas gratis al torneo de fútbol para ellos y para sus familias.

Seguimos adelante por una pequeña carretera, y al fondo, detrás de unos árboles muy altos, apareció la residencia.

El lugar donde íbamos a dormir todos los equipos participantes durante esos días. Incluso los jugadores de La Loma.

Aunque ya era de noche, al llegar nos dieron un paseo por las instalaciones: había dos campos de fútbol, un polideportivo, una piscina cubierta y otra al aire libre, tres pabellones para las clases, un salón de actos enorme, biblioteca, comedor, zonas ajardinadas y, por supuesto, el edificio de la residencia.

Después de la cena, nos fuimos a descansar a las habitaciones.

Nos dividieron por parejas.

A mí me tocó compartir cuarto con Camuñas, que es mi mejor amigo.

Estaba agotado del viaje. En cuanto caí en la cama dije:

–Nas noches.

Y cerré los ojos.

No tardé ni tres segundos en quedarme dormido.

Tuve un sueño muy raro.

Teníamos que jugar un partido de fútbol dentro de un obelisco.

No había porterías, ni césped, ni equipo rival, ni nada. Todo era de color blanco: el suelo, las paredes, el techo. Absolutamente todo.

Solo estábamos nosotros y el balón.

Como digo, era muy raro.

Lo peor es que el obelisco cada vez se iba haciendo más y más pequeño. A medida que pasaba el tiempo, las paredes se iban estrechando.

Nos pasábamos el balón, intentando hacer alguna jugada.

Yo trataba de meter un gol sin conseguirlo.

Corría a un lado y otro desesperadamente.

Pero era imposible marcar... ¡No había porterías!

Me agobiaba mucho. Tenía que meter el gol si quería que nos salvásemos, pero no había manera.

Llegó un momento en que se convirtió en una auténtica pesadilla. El obelisco se fue estrechando tanto que nos iba a aplastar dentro.

Yo corría y gritaba para que mis compañeros me pasaran el balón. Sin embargo, ellos se alejaban de mí. Decían que era incapaz de meter gol.

Yo cada vez corría más y más, y el obelisco estaba a punto de aplastarme, cuando de pronto...

–¡Pakete! ¡Despierta!

Abrí los ojos de golpe.

Camuñas estaba delante de mí.

–¿Estás bien? –me preguntó.

–No sé –respondí.

–No parabas de gritar –dijo mi amigo.

–Perdona, era un sueño muy raro: había un obelisco, y las paredes se estrechaban...

–Estás sudando.

Me llevé la mano a la frente.

–Gracias –dije, y me sequé las gotas de la cara con la sábana–. ¿Te he despertado con los gritos?

–Qué va. Ya llevo despierto un buen rato –contestó él.

–¿Pero qué hora es?

–Las cuatro y media –dijo mirando el reloj–. En España son ahora las nueve y media de la mañana.

–¿Las cuatro y media de la madrugada? –pregunté extrañado.

–Sí –dijo–. Yo creo que tengo el jet lag.

Durante el vuelo, Esteban nos había explicado que, cuando viajas a un sitio donde hay mucha diferencia horaria, a veces te cuesta acostumbrarte. Y te puedes despertar en mitad de la noche, o quedarte dormido durante el día.

Eso es lo que llaman jet lag.

Camuñas ya estaba vestido, y metía algunas cosas en su mochila.

–¿Vas a algún sitio? –pregunté.

–Voy a investigar.

Lo dijo como si fuera lo más normal del mundo.

–¿A investigar el qué?

–Pues... todavía no lo sé.

–¿No lo sabes?

–Seguro que en esta residencia hay habitaciones secretas y cosas misteriosas. Tiene toda la pinta.

–Hombre, pero no se puede investigar así al tuntún –protesté.

Tal vez yo estaba un poco dormido todavía, pero no me parecía normal que mi amigo se fuera a investigar en mitad de la noche. Y menos, sin saber adónde iba. Ni qué tenía que investigar. Ni nada.

–Mira –dijo–, he traído el equipo de investigador completo. Lupa. Micrófono con amplificador de sonido para escuchar a distancia. Cuaderno de notas. Pincel para buscar huellas. Polvos de

talco. Papel adhesivo transparente. Tarjetas para guardar las huellas. Guantes y pinzas para recoger muestras. Prismáticos. Tijeras y cinta adhesiva. Bolsas de plástico para guardar pruebas. Cinta métrica. Y una cuerda.

Tenía todo dentro de la mochila.

–¿Lo has traído de España? –dije asomándome.

–Pues claro. Y ya que lo he traído, voy a usarlo.

Mi amigo se acercó a la puerta, dispuesto a salir de la habitación.

Primero, la pesadilla tan extraña.

Y ahora, Camuñas dispuesto a investigar... aunque no había nada que investigar.

A pesar de todo, salí de la cama y dije:

–Voy contigo.

–Pues venga, date prisa, que no tengo toda la noche.

No parecía que le hubiera hecho demasiada ilusión que le acompañara.

–No voy a dejar que vayas solo –dije.

–Por eso no te preocupes. He quedado con todos al final de las escaleras.

–¿Eh? ¿Cómo que con todos? –pregunté desconcertado.

–Mientras dormías, los demás nos hemos escrito en el grupo de wasap y hemos quedado. Incluso vienen Helena y Rosita.

–¿Y no me lo pensabas decir?

–Te lo estoy diciendo.

–Ya, ya, pero si no hubiera gritado en sueños... ¿me habrías despertado para decírmelo?

–No lo sé, la verdad.

–O sea, que a lo mejor te habrías ido con los demás a investigar y me habrías dejado aquí solo.

–¡Pero si tú mismo has dicho que es una tontería investigar al tuntún!

–Ya, porque pensaba que ibas tú solo... Pero si van todos, la cosa cambia –insistí–. Deberías haberme avisado.

–¡Si te estoy avisando!

–Pero si no llego a gritar en sueños, a lo mejor no me habrías avisado.

–Mira, yo me voy –dijo abriendo la puerta–. ¿Vienes o no vienes?

–Pues claro que voy. Espera un segundo, que me ponga las zapatillas.

Agarré las zapatillas deportivas y me las puse enseguida.

Un momento después, Camuñas y yo cruzamos en silencio el pasillo de la residencia.

Estaba en penumbra.

No se oía nada.

Avanzamos a tientas.

–¿Tú crees que conseguiré marcar un gol durante el torneo? –le pregunté.

–No tengo ni idea, Pakete –respondió él–. Lo mío es parar goles, ya lo sabes. Y además, ahora vamos a investigar. Olvídate de eso.

Ojalá pudiera.

Bajamos por unas escaleras muy largas hasta el vestíbulo principal.

Una vez allí, nos encontramos con el resto, que estaban esperando con las linternas de sus móviles encendidas.

Allí estaban todos: Toni, Marilyn, Camuñas, Angustias, Ocho, Anita, Helena y Rosita.

–Llegáis tarde –dijo Toni.

–Perdón –se excusó Camuñas–. Ha sido Pakete, que se ha retrasado porque le parecía una tontería investigar si no hay ningún misterio.

–Yo no he dicho que fuera una tontería –protesté.

–Un poco sí lo has dicho –repitió mi amigo.

–Yo estoy de acuerdo –dijo Tomeo–. Es un poco absurdo. No hay nada que investigar.

–No haber venido –le señaló Marilyn.

–Es que no quería quedarme solo en la habitación –se disculpó.

–Yo tampoco –dijo Angustias–. Además, con esta manía que tenéis de quedar siempre en mitad de la noche, pues pasan estas cosas, claro.

–¿Qué cosas? –preguntó Ocho.

–Pues que quedamos sin saber por qué ni para qué ni nada.

–Hemos quedado para investigar –volvió a decir Camuñas.

–No se puede investigar si no hay ningún misterio –aseguró Anita–. No tiene lógica.

–Es lo que llevo diciendo un buen rato –insistí.

–¿Y no podríamos investigar por la mañana?

–¿O después de la siesta?

–Ustedes, los gallegos, son muy graciosos –dijo Rosita mirándonos con una sonrisa de oreja a oreja.

Nadie sabía qué hacíamos allí.

Ni por qué habíamos quedado.

Aquello no tenía ningún sentido.

–Pero vamos a ver... La idea de quedar, ¿de quién ha sido? –pregunté.

Todos nos miramos entre nosotros.

–No lo sé.

–No estoy seguro.

–¡Ha sido mía!

Todos nos dimos la vuelta.

Allí estaba Helena con hache.

–Yo he sido quien ha enviado el primer mensaje –dijo tranquilamente.

–¿Y por qué, si se puede saber?

–Pues porque sí hay un misterio que investigar –explicó.

Ahora sí que la miramos todos con los ojos muy abiertos.

Ella asintió con la cabeza, como si fuera algo muy gordo.

–¿Lo vas a decir, o tenemos que adivinarlo? –preguntó Anita.

–Alguien va a robar el Trofeo del Obelisco –soltó.

–¿Qué?

–¿Cómo?

–¿Cuándo?

–¿Has dicho que alguien va a robar el obelisco? –preguntó Toni–. Es que no sé si te he entendido bien.

–Me habéis entendido perfectamente: mañana van a robar el obelisco –respondió Helena.

–Me estoy poniendo nervioso –dijo Tomeo.

–Yo estoy preparado para lo que sea –dijo Camuñas–. He traído el equipo completo de investigador.

–¿Y no será mejor que esperemos a que lo roben antes de ponernos a investigar? –pregunté.

–Pues no –dijo ella–. No podemos esperar. Por una razón muy importante.

–¿Cuál?

Helena nos miró a todos.

Esperó unos instantes y dijo:

–Porque el obelisco lo vamos a robar nosotros.

7

Medía sesenta y siete centímetros.

Exactamente diez veces menos que el original.

El Trofeo del Obelisco estaba hecho de un material único: jade blanco.

Nos asomamos a través de un pequeño ventanuco que había en la puerta de la sala de trofeos.

Allí estábamos los diez, en mitad de la noche, contemplando el trofeo.

Parecía brillar en la oscuridad, rodeado de otras copas y medallas.

Por lo visto, lo había fabricado cincuenta años antes un antiguo alumno de La Loma.

Alejandro De Sosa, conocido como el Maestro Sosa.

Sin dejar de observarlo desde fuera, Helena explicó:

–El Maestro Sosa es un hombre muy especial: pintor, escultor y mago.

–¿Mago? –pregunté.

–Sí, pero no como esos magos que salen en televisión haciendo trucos –continuó Rosita–. Un mago de verdad.

–Cuando era joven, consiguió cosas increíbles –dijo Helena–. El Maestro Sosa era famoso en todo el mundo. En aquella época fue cuando fabricó el Trofeo del Obelisco.

–Vivía en una casa muy humilde de Palermo –dijo Rosita–, un barrio de Buenos Aires.

–Por lo visto, iban personas de todo el continente a verle para que los ayudara con sus poderes mágicos –explicó Helena–. Dicen que una vez hubo una gran sequía y el maestro consiguió que lloviera. Parece que también solucionaba problemas de amor con sus conjuros. Y muchas otras cosas. Siempre tenía una cola muy larga de gente delante de su puerta. Y nunca cobraba por su magia.

–Ayudó a muchas personas, de verdad –aseguró Rosita, que parecía emocionada–. Hasta que un buen día, de repente, anunció que ya no podía seguir. Que su magia se había acabado. Y desapareció.

–¿La magia se acaba? –preguntó Marilyn sin comprender.

–¿Eso cómo puede ser? –preguntó Tomeo

–Pues vaya mago –dijo Toni.

–Nadie sabe lo que ocurrió realmente –intervino Helena rápidamente–. El caso es que se retiró y no se volvió a saber de él.

–Hasta ahora –anunció Rosita.

–Exacto: hasta ahora.

Ambas se miraron y de nuevo se quedaron en silencio.

El resto las observamos.

–Venga, por favor, contad de una vez qué ha pasado con el Maestro Sosa –pidió Camuñas.

Helena movió la cabeza.

–Ha regresado –dijo.

Como si fuera un gran secreto, Rosita bajó la voz y añadió:

–Os voy a enseñar una cosa, pero no se lo podéis contar a nadie. Al maestro no le gusta que le graben.

Le dio la vuelta a su teléfono móvil y nos lo mostró.

Todos nos agolpamos a su alrededor.

Fue pasando varios archivos de vídeo y, cuando encontró lo que estaba buscando, le dio al play.

En la pantalla apareció una habitación vacía.

Casi a oscuras.

Parecía un garaje o algo así.

La cámara se movió a un lado y otro.

No se veía ni se oía a nadie.

Solo media docena de estanterías mal iluminadas, y una pared al fondo.

–Es un garaje vacío. Vaya cosa –protestó Camuñas.

–Shhhhhhhhh, espera –dijo Helena.

Seguimos mirando la pantalla del móvil.

Atentos.

Todo siguió igual varios segundos.

Las estanterías.

La pared.

La cámara que se movía un poco.

Y entonces, de pronto...

Se oyó una voz.

Era como un susurro que no se entendía bien.

–¿Pero qué dice? –preguntó Tomeo.

–Esperá –pidió Rosita.

Poco a poco, el murmullo pareció acercarse...

–Una oportunidad. Solo una oportunidad. Una sola. Solo una.

La cámara volvió a girar y, ahora sí, surgió una figura en la penumbra.

Parecía un niño.

No... Al contrario.

Era un señor muy mayor.

Y muy bajito.

Se tapaba el rostro con una mano, como si le molestase la luz del teléfono móvil.

–Una oportunidad. Solo una oportunidad. Una oportunidad solo –repitió.

Ahora la cámara se acercó y le enfocó mejor.

El hombre se apartó ligeramente las manos de la cara.

Y se pudo ver su rostro.

Tenía un montón de arrugas.

Sin embargo, no tenía ni un solo pelo. Ni en la cabeza. Ni en las cejas. Nada.

Miró directamente a la cámara.

–¿En la magia no creés? –preguntó.

Respiró hondo.

Y sonrió.

Entonces dijo:

–Ayudar a los demás necesito. Lo necesito. Necesito ayudar a personas.

Negó con la cabeza.

–En todas partes está –murmuró con una voz profunda–. Necesito la magia recuperar. Necesito... la magia... La necesita el maestro...

Se acercó mucho a la pantalla, como si temiera que alguien le escuchara, y dijo:

–El obelisco. Para ayudar lo necesito. Blanco jade necesito.

Se dio la vuelta y se marchó hacia una esquina del garaje.

Caminó de espaldas, algo encorvado.

Alejándose.

Entonces, sin previo aviso, se giró de golpe y susurró:

–Una oportunidad solo tendrás.

La imagen se congeló.

Y el vídeo se acabó de golpe.

Nos habíamos quedado todos mudos.

El aspecto de aquel hombre y su forma de hablar impresionaban.

Daba un poco de miedo.

Pero, al mismo tiempo, era como si no pudieras dejar de mirarle.

–Me quedé sin batería y no pude seguir –se excusó Rosita–. Es la única vez que me ha dejado grabarle.

–¿Es el Maestro Sosa? –preguntó Marilyn.

Rosita asintió.

–Está muy mayor –dijo Tomeo.

–¿Y dónde está? –preguntó Anita.

–En un garaje –respondió ella–. No le gusta que le vean.

–Ya, ya –insistió Anita–, pero ¿en qué garaje? ¿Por qué lo tienes grabado precisamente tú?

De nuevo, Helena y Rosita se miraron.

–Cuéntaselo –dijo Helena con hache.

–Pero es que...

–Si no se lo cuentas, no lo van a entender.

–Estoy de acuerdo –dijo Camuñas–. Si no os explicáis un poco mejor, no nos enteramos de nada.

–Está bien –admitió Rosita–. El Maestro Sosa es... a ver cómo lo digo... es un gran escultor... y también un gran artista... y un mago muy especial... y...

–Díselo de una vez –la animó Helena.

–¡Está bien! Ahí va, pero ojito con las bromas y los comentarios... ¡El Maestro Sosa es... mi abuelo! ¡El padre de mi madre! ¡Mi abuelo! ¡Hacía muchos años que no sabíamos nada de él, y ahora, de pronto, ha vuelto! ¡Está encerrado en casa, casi no sale a ninguna parte! ¡Y repite a todas horas que necesita el obelisco para recuperar su magia y ayudar a la gente!

–¿El mago es tu abuelo? –preguntó Toni.

–Sí –admitió Rosita–. ¿Algún problema?

–No.

–No, no.

–Ningún problema.

Aquel hombre tan extraño y tan viejo era el abuelo de Rosita.

Por lo que ellas decían, se trataba de un gran mago que había perdido sus poderes.

–¿Y por qué va a recuperar la magia con el obelisco? –pregunté yo.

–Eso es lo mejor de todo –continuó Helena–. El obelisco tiene una inscripción mágica en la base.

–¿Por eso en la canción hablaban de un hechicero y un trofeo mágico? –preguntó Tomeo.

–Exactamente. Es una especie de conjuro.

Y miró a su hermanastra.

Rosita lo recitó de memoria:

–Tu deseo piensa bien / justo a medianoche. / Cincuenta años después, / una oportunidad solo tendrás.

–Eso es lo que decía en el vídeo –saltó Ocho–: «Una oportunidad solo tendrás».

–Cuando el Maestro Sosa fabricó el obelisco –siguió Helena–, hizo esa inscripción y anunció a todo el mundo que, al cumplirse cincuenta años, quien tuviera el trofeo podría pedir un deseo a medianoche. Cualquier cosa. Y le sería concedido.

–Y los cincuenta años se cumplen exactamente este domingo –explicó Rosita–. El día de la final del torneo.

–Entonces, el ganador de este año... –empezó a decir Marilyn.

–¡Podrá pedir un deseo! –exclamó Toni entusiasmado.

–Por eso todos quieren ganarlo precisamente este año –explicó Rosita.

Nos quedamos pensativos.

Yo no creo demasiado en los magos y esas cosas.

Pero suponiendo que fuera verdad...

¿Qué deseo pediría?

Se me ocurrieron muchas cosas:

Meter por fin un gol.

Uno de esos golazos que nadie olvida.

O mucho mejor.

Meter un millón de goles.

Ser el máximo goleador de todos los tiempos.

Y el mejor futbolista.

Y poder volar.

Y leer el pensamiento de la gente.

Y ser invisible cuando yo quiera.

Y otro montón de deseos increíbles.

Lo difícil era elegir uno solamente.

Tal vez mis compañeros estaban pensando lo mismo.

Nadie se movió.

Hasta que Tomeo se rascó la cabeza y dijo:

–Perdón, pero yo no he entendido casi nada.

–Uf, menos mal, creía que era el único –dijo Camuñas–. Yo tampoco.

–La verdad es que yo tampoco –dijo Marilyn.

–Ni yo.

–Ni yo.

–Es que no hay quien lo entienda –recapituló Anita–. Queréis que robemos un trofeo mágico que fabricó tu abuelo. ¿Por qué? ¿Para qué?

Estaba completamente de acuerdo con Anita.

Me pareció una buenísima pregunta.

Rosita dio un paso al frente y contestó del tirón:

–Para devolvérselo a él y que recupere su magia y que pueda ayudar otra vez a la gente.

–¿Y por qué no lo habéis robado vosotras en todo este tiempo? –preguntó Marilyn–. ¿O por qué no les habéis pedido ayuda a vuestros compañeros del colegio? ¿Por qué tenemos que robarlo justo nosotros?

–Primero: nosotras ya lo hemos intentado sin conseguirlo –respondió Helena–. Segundo: aquí todo el mundo quiere el obelisco para pedir su propio deseo; nadie nos va a ayudar a robarlo para dárselo al maestro. Y tercero...

Rosita la miró y terminó la frase:

–Y tercero y más importante... Hemos pensado en vosotros porque sois... los Futbolísimos.

–No lo pillo.

–Yo tampoco.

–A ver –dijo Toni–. La idea es que robemos el dichoso obelisco, y después... ¿se lo devolvamos a una persona a quien no conocemos de nada? ¿Así, sin más?

–No es un desconocido –recordó Rosita–. Es el Maestro Sosa. Uno de los magos más increíbles que han existido nunca.

–O sea, tu abuelo.

–Exacto.

–Justamente –corroboró Helena.

–Y si es un gran mago, ¿por qué no lo roba él?

–Pues porque ya te han dicho que perdió sus poderes –respondió Anita–. Y está muy mayor, ¿no le has visto?

–Yo en el vídeo solo he visto a un viejo chiflado –sentenció Toni.

–¡No hables así del abuelo! –le advirtió Marilyn.

–Pero si tú tampoco le conoces... Y es un tío muy raro, salta a la vista.

–Ya, pero un respeto para las personas mayores.

–Vale, vale –dijo Toni–, perdón. Pero yo creo que, si robamos el obelisco, lo justo sería que pidiéramos nosotros el deseo. Y después ya se lo damos al viejo.

–En eso a lo mejor tiene razón Toni –le secundó Camuñas–. A mí se me ocurren muchos deseos para pedir...

–Por no hablar de que, si ganamos el torneo, no sería necesario que robemos nada –añadió Ocho.

Todos empezaron a hablar al mismo tiempo.

Aquello se convirtió en un batiburrillo.

Unos decían que era absurdo robar un trofeo que podíamos ganar jugando al fútbol.

Otros, que era casi imposible que ganásemos el torneo contra esos equipos tan buenos.

Y la mayoría, que en cualquier caso no tenía mucho sentido darle el obelisco al abuelo de Rosita. Podía malgastar el deseo. Era demasiado riesgo.

–Está muy mayor, y a lo mejor no rige –insistió Toni–. Imagina que pide una dentadura postiza...

–¡Ya está bien, Toni! –le cortó Helena–. Te prohíbo que sigas hablando así. Además, ¡precisamente esa es la cuestión!

–¿Cuál? –preguntó Toni.

–Pues que fue él quien lo fabricó y ahora lo necesita para ayudar otra vez a la gente –explicó–. Es la única forma de que recupere la magia.

A pesar de todas las objeciones, lo que me sorprendió fue que nadie puso en duda que aquel trofeo fuera un verdadero objeto mágico.

Quiero decir que hubo muchas discusiones sobre lo que debíamos hacer.

Pero ninguno dudó si realmente aquel obelisco podía conceder un deseo.

Como si fuera una lámpara mágica.

Estamos en la vida real, no en un cuento de magos.

Eso de pedir un deseo a medianoche...

No sé yo.

Pero preferí no sacar el tema, para no liar más la cosa.

–Una pregunta muy importante –dijo Marilyn, tratando de encontrar una solución–: ¿sabe él que vamos a robarlo?

–No directamente –reconoció Helena.

–¿Cómo que no directamente? –preguntó Toni–. ¿Os ha pedido que lo robéis? ¿Sí o no?

–Él no ha pedido nada –dijo Rosita–, pero le hemos hablado de los Futbolísimos y parecía muy interesado...

–¿¡Le habéis contado el pacto de los Futbolísimos!? –exclamó Camuñas alarmado.

–Es un pacto secreto –recordó Marilyn.

–¡Pero es el Maestro Sosa, uno de los magos más grandes de todos los tiempos! –se justificó Helena–. ¡Y le hemos hablado muy bien de vosotros!

–Y además está medio sordo. Yo creo que no entendió mucho –siguió Rosita.

–Sigo sin verlo claro –dijo Toni.

–¿El qué?

–Pues esto de robar el obelisco para dárselo al viejo –concluyó Toni–. ¡Si ni siquiera él lo ha pedido! Deberíamos pensarlo bien antes de devolvérselo.

–¡No me lo puedo creer! Sois igual que los demás –dijo Helena, un poco triste–. Solo pensáis en vosotros mismos. En pedir un deseo. Yo creía que erais diferentes. Tenemos que darle el obelisco al Maestro Sosa. ¡Lo único que quiere es ayudar a la gente!

–Los magos no ayudan a la gente –protestó Camuñas–. Se dedican a hacer trucos y ya está.

–El Maestro Sosa es diferente –aseguró Rosita–. Su magia servía para que las personas se sintieran mejor. Y los ayudaba a solucionar sus problemas.

Todos nos quedamos pensativos.

–Propongo que vayamos paso a paso –dijo Marilyn–. Primero robamos el obelisco. Y, cuando lo tengamos, votamos para ver qué hacemos con él. O bien pedir un deseo nosotros, o bien dárselo al maestro. ¿Quién está de acuerdo conmigo?

–Ya estamos con las votaciones –protestó Tomeo.

–¿Pero qué hay que votar exactamente? –preguntó Ocho.

–Pues si lo vamos a robar –dijo Anita.

–Y también si nos lo vamos a quedar –añadió Toni.

–Si no es para dárselo al Maestro, no lo roben –advirtió Rosita–. Miren, estábamos esperándolos porque pensábamos que entenderían lo importante que es esto y estarían dispuestos a ayudar a un buen hombre que está en el final de su vida. Pero si no lo comprenden, entonces mejor lo dejamos.

–Estoy muy decepcionada –dijo Helena.

–Y yo –dijo la hermanastra.

–Yo más –insistió Helena.

Nos quedamos callados.

Desconcertados.

Aquella situación era muy rara.

De pronto me di cuenta de lo que estaba pasando.

Era verdad que no conocíamos de nada al Maestro Sosa.

Pero conocíamos a Helena.

Y yo creo que eso era más que suficiente.

–Helena –dije–, ¿tú crees que el Maestro Sosa debe recuperar el obelisco?

Ella levantó la cabeza y dijo:

–Totalmente. He estado con él y os aseguro que es un buen hombre. Llevo mucho esperando que vinierais para pediros ayuda. No podía confiar en nadie aquí. Solo en vosotros. En los Futbolísimos.

Yo levanté la mano y dije:

–No sé en qué estamos pensando. Voto robar el trofeo y dárselo al Maestro Sosa.

Helena me sonrió.

–Gracias –dijo.

Enseguida, los demás se unieron:

–Yo también.

–Vale, y yo.

–Y yo.

–Está bien, y yo –dijo Toni.

–Yo también –dijo Angustias–, aunque si lo podemos robar a la luz del día, pues mucho mejor.

–Sabía que al final podría contar con vosotros –dijo Helena.

–Es por una buena causa –aseguró Rosita.

–Bueno, y ya puestos, ¿por qué no lo robamos ahora mismo? –preguntó Toni.

–Pues porque no es tan fácil.

Nos giramos hacia la puerta de la sala de trofeos.

Lo teníamos ahí mismo.

Delante de nosotros.

Tal vez podíamos intentarlo.

9

Todos miramos la puerta.

Toni alargó la mano.

Agarró el pomo.

Y lo giró con fuerza.

Una vez.

Y otra más.

Pero nada.

La puerta no se abrió.

–¿Hay alguna otra entrada? –preguntó Toni.

–Que yo sepa, no –respondió Rosita.

–Es una puerta blindada –dijo Tomeo empujándola y mirando a través del ventanuco–. No creo que sea fácil abrirla.

–Hay cuatro personas que tienen la llave de la sala de trofeos –dijo Helena–: el doctor Bianchi, el ayudante Romero, la entrenadora Besuievsky y el guardia de seguridad.

–Pues habrá que conseguir una de esas llaves –dijo Toni.

–No sé a cuál de los cuatro será más sencillo quitarle las llaves –dijo Rosita, pensativa.

–Podemos dividirnos en cuatro grupos y que cada uno vaya a por una llave –propuso Marilyn–. Así tendremos más posibilidades.

–¡Buena idea! –exclamó Helena–. Rosita y yo quedamos fuera de los grupos; somos del colegio y tenemos que andarnos con mucho cuidado. Además, el mejor momento para entrar en la sala a robar el trofeo será durante el partido entre La Loma y el Xuan Jung. Todo el mundo estará pendiente del encuentro y podéis aprovechar. Nosotras dos no podremos ir con vosotros, pues tenemos que jugar el partido.

–Un segundo –intervine mirando a Helena con hache–. ¿Tú no vas a jugar en nuestro equipo?

Ella también me miró.

Hasta ese momento no me había dado cuenta.

¡Por primera vez, Helena iba a ser nuestro rival en el campo!

Aquello no me gustaba.

–Tengo que jugar con La Loma –se disculpó–. Ahora es mi equipo.

–Pero tú... o sea, tú... –traté de decir– eres de los Futbolísimos, tienes que jugar con nosotros.

–No puedo, lo siento.

Si lo llego a saber, a lo mejor no había venido.

Una cosa es que Helena se hubiera ido a vivir muy lejos y que no jugara la liga con nosotros.

Y otra muy distinta es que, ahora que estábamos juntos otra vez... ¡ella jugara con el equipo rival!

–Entonces, si llegamos a la final... –dije–, ¿tú jugarías contra nosotros?

–No tengo más remedio –respondió.

Me daba igual el obelisco.

Las llaves.

La magia.

Los deseos.

El Maestro Sosa.

Y todo lo demás.

¡Helena no iba a jugar en nuestro equipo!

Eso era una catástrofe.

Y no solo porque fuera buenísima y metiera unos pases en profundidad increíbles y unos golazos tremendos.

Sobre todo porque es... cómo lo explicaría... ella es...

¡Helena con hache!

¡Y juntos habíamos hecho un montón de cosas!

¡Y habíamos creado los Futbolísimos!

¡No podía ser!

¡Tenía que haber alguna solución!

–Bueno, pues nada –dijo Marilyn–. Yo creo que está todo claro. Los grupos para buscar las llaves son los mismos de las habitaciones. Que cada pareja elija a quién va a seguir. Anita y yo nos pedimos al doctor Flautín. ¡Es tan gracioso!

–Nosotros seguiremos a la Besuievsky –se apresuró a decir Toni.

–Si no queda más remedio, Angustias y yo nos encargaremos del ayudante Romero –dijo Tomeo.

Todas las miradas se dirigieron ahora a Camuñas y a mí.

–Nos ha tocado el guardia de seguridad –dijo mi amigo.

–Eso parece –murmuré yo, sin estar muy convencido.

–Es suficiente con una llave –dijo Rosita–. Al menos uno de los grupos tiene que conseguirlo.

–¿Y qué pasa si robamos varias llaves? –preguntó Tomeo.

–Mejor –respondió Rosita–. Lo malo sería que no consigan ninguna.

–Que se prepare la Besuievsky –dijo Toni en plan chulito.

–Eso, que se prepare –repitió Ocho, que era su compañero de habitación.

Todos nos quedamos mirando la puerta roja delante de nosotros.

Detrás estaba el Obelisco Mágico.

Helena con hache dio un paso al frente y dijo:

–Menos mal que habéis venido. Y que estamos otra vez juntos. No sé qué haría sin vosotros.

Extendió una mano.

Inmediatamente, Rosita y Marilyn y todos los demás fuimos poniendo nuestras manos encima de la suya.

Formando una piña.

Como habíamos hecho tantas veces.

–¡Los Futbolísimos, siempre unidos! –exclamó Helena.

–¡Siempre unidos! –repetimos todos.

Después del grito, Rosita dijo:

–Tienen un día para conseguir las llaves. Después van a empezar los partidos. La clave es robar el obelisco mientras La Loma juega su primer encuentro.

Angustias levantó la mano.

–Tengo una pregunta.

–No hace falta levantar la mano –dijo Helena–. Pregunta lo que quieras.

–Hay una cosa que no entiendo muy bien. Mientras nosotros robamos las llaves y el trofeo mágico... ¿vosotras dos qué vais a hacer?

Helena y Rosita se miraron.

–Disimular –respondió la argentina–. Nosotras tenemos que disimular para que nadie sospeche.

–¿Y eso cómo se hace?

–Pues muy fácil: entrenando, jugando... Haciendo lo de siempre.

–O sea, que no vais a hacer nada –sentenció Angustias–. ¿Y yo no puedo ir en ese grupo también?

–Pues no puedes, porque alguien tiene que robar las llaves –intervino Marilyn–. Y si todos nos dedicamos a disimular, no hay robo ni obelisco ni nada.

–Ya, ya. Si yo solo lo decía por si se puede...

Dimos la vuelta por donde habíamos venido y nos alejamos de nuevo en dirección a las escaleras de subida.

–Che, menos mal que vinieron –dijo Rosita, que encabezaba el grupo–. A los chicos de acá solo les importa ganar el torneo y quedarse con el obelisco y pedir su propio deseo. Por suerte, ustedes son diferentes: no piensan en esas cosas; solo quieren ayudar a los demás.

Entre la penumbra, todos nos miramos como diciendo: «A nosotros tampoco nos importaría ganar el trofeo y pedir un deseo».

Pero nadie lo dijo.

–Ya ves –aseguró Toni–. Así somos nosotros.

Antes de despedirnos, Rosita nos miró y repitió la inscripción mágica:

–Tu deseo piensa bien / justo a medianoche. / Cincuenta años después, / una oportunidad solo tendrás.

Después, cada uno regresó a su habitación.

Nada más entrar en el cuarto, Camuñas dejó su mochila sobre la cama.

–Todo esto es muy injusto –protestó.

–Estoy de acuerdo –dije–. Por favor, que ya no somos niñitos. ¿Quién se cree que un trozo de piedra tiene poderes mágicos y te concede un deseo? Por mucho que sea de jade.

Camuñas me miró con los ojos muy abiertos.

–Yo sí me lo creo, ¿tú no?

–Bueno, yo... por un lado, sí; pero por otro, no sé... ¡Es que es muy raro todo!

–Yo no me refería a eso –protestó Camuñas–. Yo estaba hablando de mi equipo de investigador. No sé si te has fijado, pero nadie le ha hecho ni caso. Es muy injusto que haya venido cargado desde España para nada. Prométeme que mañana lo vamos a usar cuando busquemos al guardia de seguridad.

–Vale, vale, lo que tú digas...

–No me des la razón para que me calle. Dilo de verdad.

–Te lo estoy diciendo de verdad.

–Repítelo –insistió.

–De acuerdo –dije–. Cuando vayamos a robar la llave, utilizaremos tu equipo de investigador. Prometido.

–Bien.

Nos metimos en la cama para intentar dormir un rato.

Pero Camuñas no se dio por vencido.

Desde su cama me preguntó:

–Entonces, ¿tú qué crees?

–¿Qué creo de qué?

–Pues de qué va a ser. Del guardia de seguridad. ¿Tú crees que conseguiremos robarle la llave?

–Supongo que sí, yo qué sé. Buenas noches.

Me di la vuelta, dispuesto a dormir de una vez.

–Disculpa que siga hablando. Con todo esto de los robos, estoy un poco nervioso. Y luego, el vídeo ese que nos ha enseñado Rosita en el garaje... Era un poco terrorífico, ¿no te parece? No me lo puedo quitar de la cabeza... A mi padre y a mi abuelo les pasa lo mismo que a mí: cuando estamos nerviosos, no paramos de hablar; debe ser una cosa de familia...

–Camuñas, por favor, vamos a dormir.

–Vale, ya me callo.

–A ver si es verdad. Hasta mañana.

–Hasta mañana –dijo él, aunque daba la impresión de que no se iba a callar nunca jamás–. Y perdona que insista con lo del robo. Es que me daría mucha rabia que Toni consiguiera la llave antes que nosotros.

¿Eh?

En eso tenía razón mi amigo.

A mí tampoco me gustaría que Toni consiguiera la llave y quedara genial delante de Helena y los demás.

Seguro que se pasaba el viaje alardeando y haciéndose el chulito.

Además, parecía que todo este asunto era algo muy importante para Helena.

De pronto, ya no tenía ganas de dormir.

Uf.

Qué lío.

Si al final íbamos a robar la llave, lo mejor sería hacerlo los primeros.

Antes que el resto.

Especialmente, antes que Toni.

–Oye, estoy pensando una cosa –dije.

–¿No decías que me callara para dormir?

–Ya, ya, pero total, ya la hora que es, está a punto de amanecer. Seguro que ni dormimos ni nada con el jet lag. ¿Qué te parece si vamos ahora mismo a la caseta del guardia a investigar? O sea, a robar la llave.

Mi amigo tardó unos segundos en contestar.

¿Por qué se quedaba ahora callado?

A lo mejor no le había parecido buena idea.

O se había dormido.

O...

–¡Venga! ¿Qué haces todavía dentro de la cama? –me preguntó.

Camuñas me enfocó con su móvil.

Ya se había puesto en pie.

Y estaba metiendo otra vez todas sus cosas dentro de la mochila.

–¡Vamos! –insistió–. ¡En marcha!

–Entonces, ¿te parece buena idea?

–Me parece la mejor idea del mundo. ¡Por fin vamos a utilizar el equipo de investigador!

Nos vestimos a toda prisa.

Y solo unos minutos después de haber regresado a la habitación, volvimos a salir por la puerta.

Dispuestos a robar la llave de la sala de trofeos.

10

Los primeros rayos del sol asomaban por detrás de la caseta.

Estaba amaneciendo.

El guardia de seguridad, con su gorra calada hasta los ojos, comía un bocadillo apoyado en la barrera de entrada.

A esas horas no se veía a nadie por los alrededores.

Camuñas y yo nos asomamos detrás de unos arbustos.

Habíamos ido caminando un buen rato por la carretera de La Loma hasta llegar allí.

Escondidos entre unos matorrales, observamos atentamente al guardia.

–¿De qué será el bocadillo? –preguntó Camuñas.

–¿Y eso qué más da? –dije.

–En una operación como esta, hay que cuidar los detalles... Bueno, y que tengo hambre. A estas horas, en España estaríamos en el recreo comiendo un bocadillo o un bollo de chocolate o uno de esos rellenos de crema...

–Céntrate, por favor te lo pido.

–Si yo estoy centrado. Mira.

Camuñas me mostró las manos. Se había puesto los guantes de su equipo de investigador.

–¿Eso para qué sirve? –pregunté.

–Para no dejar huellas. Cuando la policía busque a los ladrones, es importante que no encuentren nuestras huellas.

–¡Pero qué policía! Si solo vamos a robar unas llaves.

–Por si acaso. Nunca se sabe.

Miré los guantes y empecé a pensar que a lo mejor tenía razón.

–Está bien. Dame.

–¿El qué?

–Unos guantes.

–No tengo más. Solo he traído un par.

–Entonces, ¿para qué me lo dices?

–Para que lo sepas. Oye, no te enfades. El que ha cargado con todo esto durante el viaje he sido yo. No tengo más guantes, pero si quieres te puedo dejar papel adhesivo transparente, o una cinta métrica muy chula...

–¿Y para qué quiero yo una cinta métrica?

–No lo sé, Pakete. No puedo saber todo. Estás muy negativo.

–Vale, vale. Vamos a olvidarnos de eso por ahora. ¡Mira, se está alejando de la garita!

Señalé hacia el guardia, que ya se había terminado el bocadillo y en ese momento caminaba y estiraba los brazos.

Al moverse, me di cuenta de que emitía un sonido metálico.

Cada vez que daba un paso, sonaba algo.

Era como un tintineo...

¡Exacto!

Unas llaves colgaban de su cinturón.

–Pásame los prismáticos –susurré.

Enseguida, Camuñas sacó los prismáticos de su mochila y me los dio.

–Menos mal que he traído el equipo de investigador –dijo, orgulloso.

Me ajusté los prismáticos con ambas manos, y ahora sí pude ver mejor lo que colgaba del cinturón del guardia de seguridad.

Era una especie de llavero circular. Y, enganchado a él, un montón de llaves. Yo creo que por lo menos había veinte o treinta. O incluso más.

Se movían a cada paso que daba.

Y producían ese sonido metálico que había oído un momento antes.

–Llaves localizadas –dije en plan profesional.

–¿Y ahora qué? –preguntó Camuñas, ansioso.

–El llavero tiene un cierre metálico enganchado al cinturón –dije, observando atentamente el objetivo–. Lo mejor es que uno de los dos le distraiga y, mientras tanto, el otro se acerque por detrás y le quite las llaves.

–¡Me pido distraerle! –dijo rápidamente mi amigo.

–Eso no puede ser –repliqué.

–¿Por qué?

Tenía que pensar algo rápidamente.

–Pues porque la idea ha sido mía –dije, improvisando sobre la marcha–, y porque a mí se me da mucho mejor distraer a la gente... Ah, y lo más importante: ¡porque tú tienes guantes y yo no! ¡Te toca a ti acercarte y quitarle las llaves!

–Si quieres, te presto los guantes.

–No hay tiempo... Hay que actuar antes de que regrese a la garita.

El guardia parecía que ya se había cansado de su pequeño paseo.

Volvió a apoyarse en la barrera y dio un trago a una botella de agua.

En cualquier momento entraría en la caseta, y entonces sería mucho más difícil.

Había que intentarlo ahora. Aprovechando que estaba fuera.

–Yo me encargo de distraerle –aseguré–. Tú acércate por detrás.

Sin pensarlo mucho, salí de entre los arbustos y pegué un pequeño grito.

–Ayyyyyyyyyy –exclamé, llamando la atención del guardia–. Perdone, señor. Me he perdido y me he caído ahí detrás. Creo que me he hecho daño en un tobillo.

El hombre me miró sorprendido.

–¿Vos quién sos? –preguntó.

–Soy del Soto Alto –respondí–. He venido de España a jugar el Torneo del Obelisco.

–¿Pero qué hacés aquí a estas horas? Estás muy lejos de la residencia. Deberías estar durmiendo.

–Ya, bueno, es que con todo esto del jet lag no puedo pegar ojo –dije acercándome, cojeando un poco para que se confiara–. Es que el jet lag puede ser tremendo, ¿sabe usted?

–¿Cómo llegaste acá? Hay un trecho muy largo por la carretera. No entiendo nada.

–Yo tampoco lo entiendo –contesté, haciéndome el distraído–. ¿Dónde estamos exactamente, señor?

Al mismo tiempo, le hice gestos con la mano a Camuñas para que se moviera.

No sé si mi amigo se percató. Ni qué estaba haciendo en ese momento. No podía darme la vuelta para averiguarlo: el guardia me miraba fijamente.

–Estamos en la entrada a La Loma. Voy a llamar por teléfono a la residencia para que vengan a buscarte...

–Espere, espere –dije, tratando de impedir que entrara en la garita–. Ayúdeme un momento, por favor, que casi no puedo apoyar el pie.

Al acercarse a mí, me fijé en el manojo de llaves que colgaba de la parte trasera de su cinturón.

Me pareció que no sería muy difícil cogerlo. Era un llavero enorme. Lo más complicado era que no se diese cuenta.

Llegó a mi lado y me apoyé en su brazo.

–Muchas gracias –dije–. Uf, no sé cómo he podido caerme de esta forma tan tonta. Perdóneme, no me he presentado: me llamo Francisco, aunque todos me llaman Pakete.

–Yo soy Jorge, el guardia de seguridad, como salta a la vista. Agarrate bien, no te vayas a caer otra vez.

Agarrado a su hombro, caminé hasta una piedra que había junto a la garita. Estuve tentado de coger las llaves. Las tenía muy cerca. Pero no me atreví. Y además pensé que sería mejor seguir con el plan.

Me ayudó a sentarme sobre la piedra.

–Vamos a ver qué tenés –dijo, agachándose para ver mi pie izquierdo, donde supuestamente me había hecho daño–. En mis tiempos fui jugador de fútbol, y algo sé de lesiones de tobillo.

–¿Ah, sí? ¿Fue usted jugador de fútbol? Qué interesante –dije, tratando de ganar tiempo. Por el momento no veía a Camuñas por ninguna parte–. Yo de mayor quiero ser futbolista, o piloto de aviones, o periodista deportivo, o veterinario. Aún no lo tengo muy claro...

–Bueno, yo nunca fui futbolista profesional... Cuando era niño jugué aquí mismo, en el equipo de La Loma. Ha pasado mucho ya, qué tiempos –dijo; parecía que tenía un montón de recuerdos–. Era un delantero aceptable, metía goles, corría mucho y pateaba bien las faltas y los saques de esquina. Pero nunca conseguimos ganar ningún título, ni mucho menos el Torneo del Obelisco; nada, no hubo forma, y mira que lo intentamos. En fin, una lástima.

De pronto me pareció que aquel hombre, con su nariz y con su gorra que le tapaba casi toda la cara, se ponía un poco triste con aquellos recuerdos.

–Ser guardia de seguridad también mola –intenté animarle–. Tiene ese uniforme tan chulo... y la porra... y las esposas...

–Ya, ya, no está mal –dijo resignado, observando mi pierna–. Pero si este tobillo está perfecto; no se ha hinchado ni nada.

Me había quitado la zapatilla y el calcetín.

La verdad es que tenía razón: el tobillo parecía en perfecto estado.

Entonces, justo en ese momento, apareció Camuñas al otro lado de la barrera. No sé por dónde había dado la vuelta, pero allí estaba. Iba caminando de puntillas, acercándose sin hacer ruido.

Jorge tenía una rodilla en el suelo y estaba agachado delante de mí. Sin imaginarse que, a su espalda, se estaba acercando un niño dispuesto a robarle las llaves de su cinturón.

Tenía que ganar tiempo como fuera.

–Es que me he equivocado de pie –dije–. Perdón.

–¿Cómo que te equivocaste?

–Ya ve, ja, ja, ja... A veces me pasa, soy muy despistado. En realidad, el pie que me he torcido es el derecho.

Y levanté la pierna derecha.

–Espero que no me estés tomando el pelo, gallego.

–No, no, de verdad. Me he hecho mucho daño.

Camuñas estaba cada vez más cerca. Ya casi podía tocarle.

Al quitarme la zapatilla, di un pequeño grito.

–¡Huyyyyyy, sí, sí, es este pie, ahí sí que duele! –exclamé.

Jorge tocó el pie con cuidado.

–Ahora vamos a quitar la media muy despacio. No te preocupes, intentá no hacer movimientos bruscos.

–Yo lo intento...

Camuñas alargó la mano hacia el cinturón del guardia. No quería mirarle, para que Jorge no se diera cuenta de lo que estaba pasando.

–Voy a contar hasta tres –dijo Jorge– y bajaré el calcetín, a ver qué nos encontramos. ¿Estás listo?

–Sí, señor –respondí.

Tragué saliva.

–Uno...

Crucé una mirada rápida con Camuñas: un poco más y tendríamos el llavero. Era el momento perfecto para conseguirlo.

Jorge había dejado mi pierna sobre su rodilla.

Y con las manos sujetaba el calcetín del pie derecho.

–Dos...

Camuñas se agachó.

Estábamos a punto.

Cuando Jorge dijera «tres», yo pegaría un grito y no se daría cuenta de que, al mismo tiempo, alguien le estaba quitando las llaves.

–Y...

Contuve la respiración.

Preparado para lo que iba a ocurrir.

Seríamos los primeros en conseguir la llave.

Helena estaría orgullosa de mí.

Y el Maestro Sosa.

Y todo el mundo.

–¡Y tres! –exclamó Jorge.

En ese momento, apareció un camión por la carretera y pegó un bocinazo.

¡Piiiiiiiiiiiiiiiiiiiiiiiiiiiiiiii!

Jorge tiró del calcetín y, del susto...

¡Se cayó de espaldas!

¡El guardia de seguridad se había caído encima de Camuñas!

–¿¡Pero qué es esto!? –preguntó Jorge, asustado, al ver que había un niño detrás de él.

Se dio la vuelta en el suelo, mirando a mi amigo.

–¿Vos quién sos? ¿De dónde saliste? ¿Por qué llevás esos guantes tan raros?

–Soy del equipo del Soto Alto, señor guardia. Y yo también me he perdido dando un paseo por la carretera, igual que mi compañero. Y los guantes... son un recuerdo de España. Me los pongo cuando pienso en mi familia y en mi pueblo. Le parecerá extraño, pero me siento un poco mejor con ellos.

–¿Y qué hacés detrás de mí?

Camuñas estaba agobiadísimo. Tenía a Jorge encima, que aún no se había podido levantar. Y se le veía en la cara que no sabía qué responder.

–Di: ¿qué hacés escondido detrás de mí? –volvió a preguntarle.

Camuñas abrió la boca y dijo:

–¡No estoy escondido! ¡Me he perdido y no sé dónde estoy! ¡Lo siento muchísimo! ¡Y me está aplastando la pierna!

–Ya me levanto.

Una voz desde el camión le dio un aviso:

–¡Eso, levantate y abrí la barrera de una vez! Tengo que llevar la ropa a la residencia y ya es tarde.

El camión tenía en un lateral una inscripción en la que ponía: «Lavandería».

–Sí, sí, ya voy –respondió Jorge, poniéndose en pie. Miró a Camuñas desconcertado y le preguntó–: ¿Estás bien, pibe?

–Fenomenal, gracias. Y perdón por el susto.

–Son muy raros los gallegos –sentenció, y después me señaló a mí–. Ahora vamos a ver ese tobillo, pero, a priori, yo lo veo perfecto.

–Sí, gracias. Yo creo que ya se me está pasando el dolor.

El guardia entró en la garita para abrirle la barrera al camión.

Yo miré a Camuñas expectante.

Él sonrió.

Y me enseñó algo que tenía escondido en una mano junto a la mochila.

¡El llavero!

¡Lo había conseguido!

11

–Cuarenta y seis llaves –dijo Camuñas, orgulloso.

Todos miramos el llavero como si fuera la primera vez que veíamos algo así.

Lo habíamos dejado sobre el césped del campo de fútbol.

Delante de nosotros.

–¿Qué llave es la de la sala de trofeos? –preguntó Marilyn.

–Eso todavía no lo sabemos –respondí yo.

–¿Y si no es ninguna? –dijo Toni, desconfiado.

–Seguro que sí –dije–. Solo tenemos que probarlas.

–Yo no estaría tan seguro –insistió Toni.

–Ha sido superdifícil y superemocionante –explicó Camuñas, ignorándole–. Gracias a mi equipo de investigador, todo ha salido bien. Hemos usado los prismáticos y los guantes. Y la cinta métrica un poco también.

–¿Y para qué habéis usado los guantes? –preguntó Anita.

–Para no dejar huellas... Y lo más importante: para despistar al guardia, que no se esperaba algo así. En lugar de fijarse en el llavero que le faltaba del cinturón, estaba atento a mis guantes. ¡Ha sido genial!

–Seguro que a estas alturas ya se ha dado cuenta del robo y ha dado el aviso –advirtió Toni.

–No seas cenizo –protestó Marilyn–. Puede que no eche en falta las llaves hasta dentro de unos días. Seguro que además tienen una copia.

–Tenemos que contárselo a Helena y Rosita cuanto antes –dije.

Nos encontrábamos en el campo de entrenamiento.

Felipe y Alicia estaban en los vestuarios. En cuanto salieran, empezaríamos.

–Seguro que a la hora de la comida coincidimos todos en el comedor –dijo Tomeo–, y podremos hablar con ellas.

–Hay que ir pensando un plan para el gran robo mañana durante el partido de La Loma –dijo Camuñas.

–Yo creo que el plan está claro –dije–. Mientras juegan el partido, vamos a la sala de trofeos con las llaves. Probamos hasta que una abra la puerta. Nos llevamos el obelisco. Y ya está.

–Por fin un plan a media tarde –suspiró Angustias, aliviado–, y no en mitad de la noche, como de costumbre.

–Y lo mejor de todo –añadió Tomeo–: los demás ya no tenemos que robar las llaves.

–Pues yo a lo mejor las robo de todas formas –aseguró Toni.

–¿Para qué? –preguntó Ocho, que era su pareja–. Si ya no hace falta.

–Hasta que no abramos la sala, no estamos seguros –respondió Toni–. Y además, que me apetece robar una llave. ¿Algún problema?

–No, no. Si tienes ese capricho...

En ese momento, una gran bota negra pisó el manojo de llaves.

Y una voz exclamó:

–¡Gallegos, largo de aquí! ¡Os habéis equivocado de campo!

Levantamos la vista y allí estaba el chico moreno con el pelo tapándole la cara que había cantado en el teatro.

Iba vestido con un chándal rojo.

Y nos miraba con cara de pocos amigos.

–¿Es que no me oyeron? –preguntó–. Largo de aquí.

Marilyn se acercó a él y le dijo:

–Veo por el brazalete que eres el capitán de La Loma. Encantada. Yo soy Marilyn, capitana del Soto Alto.

–Yo soy Ezequiel, y no estoy encantado. Es la tercera y última vez que os lo repito: fuera de mi campo de entreno.

–Supongo que debe haber algún error –intercedió Anita–, porque nos han dicho que tenemos que entrenar en este campo.

–¿Quién lo dijo?

–Nuestros entrenadores.

–Entonces vuestros entrenadores están equivocados. Los equipos visitantes entrenan en el campo de abajo, el pequeño de tierra.

Mientras terminaba de hablar, llegaron otros integrantes del equipo de La Loma, vestidos con su equipación roja.

–¿Qué pasó? –preguntó una niña rubia que llevaba los guantes de portera.

–Nada: los gallegos, que se columpiaron –contestó Ezequiel–. Les dije tres veces por las buenas que se marchen de nuestro campo, pero aún siguen aquí. A la cuarta se lo tendré que decir por las malas.

–¿Se lo dijiste tres veces? –preguntó la niña, asombrada.

–¡Increíble! –añadió otro chico de La Loma, uno muy grandullón con el número 4 en la camiseta–. A lo mejor están sordos estos gallegos.

–O a lo mejor no entienden su propio idioma –murmuró Ezequiel–. No tienen cara de ser muy listos.

–Oye, ya está bien, pelos. No te pases –dijo Toni, dando un paso al frente.

–¿Cómo me llamaste, gallego?

–Pelos. ¿Algún problema?

–Eres tú el que vas a tener un problema.

Ezequiel y Toni se encararon.

Parecían a punto de pegarse un empujón o algo peor.

–Tampoco hace falta llegar a las manos –dije yo mirando al capitán de La Loma–. Al fin y al cabo, si es vuestro campo, pues

nos vamos y ya está. Solo tienes que levantar un momento el pie para que podamos llevarnos una cosilla que estás pisando con tu bota.

–Si está en mi campo, es mío –contestó sin inmutarse.

Estaba claro que no quería arreglar la situación.

Era uno de esos que preferían solucionar las cosas a empujones.

En eso era igual que Toni.

Se habían juntado dos buenos.

No dejaban de mirarse fijamente.

Detrás de Ezequiel estaban varios de los integrantes de su equipo.

Detrás de Toni, nosotros.

Y en medio, agachado en el suelo, Camuñas, que no se había movido de allí. Tratando de encontrar la forma de alcanzar las llaves.

–Solo tienes que mover el pie unos centímetros y nos marchamos –dijo mi amigo sonriendo, tratando de hacerse el simpático–. Son unas llaves que hemos traído de España... y, claro, no podemos dejarlas aquí...

–Está claro que los gallegos están sordos –repitió Ezequiel–. Todo lo que está en mi campo es mío. Por última vez: ¡largo!

–A mí nadie me ordena lo que tengo que hacer –soltó Toni, dando otro paso adelante–. Y menos un listillo como tú.

Estaban muy cerca el uno del otro.

–Tú te lo has buscado –dijo Ezequiel.

–Lo mismo digo –contestó Toni.

Y en ese momento...

–¡Zequi! ¿Qué está pasando?

Apareció en el campo...

¡Helena con hache!

Seguida de Rosita.

Las dos se acercaron hacia nosotros.

–¡Zequi, veo que ya has conocido a mis amigos! –exclamó Helena.

–Sí, bueno, nos estamos conociendo –respondió él.

–¿Zequi? –preguntó riéndose Toni.

–Solo ella me puede llamar así, gallego –amenazó el capitán de La Loma–. Ni se te ocurra.

–Es Ezequiel, pero más corto y más cariñoso –explicó Helena con una sonrisa, llegando hasta el lugar donde nos encontrábamos todos.

Y entonces hizo lo último que yo me podía imaginar.

Allí en medio.

Delante de todos...

¡Agarró de la mano a Ezequiel!

Lo voy a repetir por si alguien no lo ha entendido bien.

Helena con hache...

¡Agarró de la mano al capitán de La Loma!

Se quedaron los dos así, de la mano.

¿Es que era una costumbre que tenían allí?

¿O es que eran muy amigos y se pasaban el día de la mano?

¿O...?

–Menos mal que viniste –dijo Ezequiel–. A ver si a ti te entienden. Les estaba explicando a tus amigos que el campo de entreno para los equipos visitantes es el de abajo. El pequeño de tierra.

Helena asintió.

–Se habrán equivocado, no pasa nada –dijo ella–. Si queréis, os acompaño.

–No te preocupes, tú quédate con Zequi –intervino Rosita–. Yo los llevo.

–No hace falta que vayan ninguna de las dos. Seguro que saben llegar solitos –replicó Ezequiel–. A ustedes las necesitamos aquí, con nosotros.

De nuevo se produjo un silencio lleno de tensión.

Nadie se movía.

Ni Toni parecía dispuesto a retroceder.

Ni Ezequiel a mover su pie.

Yo solo podía fijarme en una cosa: durante todo ese tiempo, Ezequiel y Helena seguían agarrados de la mano.

¡Parecía que no se iban a soltar nunca jamás!

Al fondo, detrás de una de las porterías, llegaron Felipe y Alicia haciendo señas para que los siguiéramos.

–¡Vamos, chicos! –gritó Alicia–. ¡El entrenamiento es abajo!

–¡Venga, en marcha! –siguió Felipe.

–Bueno, pues entonces ya nos vamos –dijo Marilyn.

–Sí, mejor nos vamos –dijo Toni–. Pero porque nos da la gana. No porque lo digas tú, pelos.

–Tu amigo está empeñado en llamarme pelos –le dijo Ezequiel a Helena–. A lo mejor es que no sabe pronunciar mi nombre.

–¿Cuál? ¿Ezequiel? ¿O Zequi? –preguntó Toni en tono burlón.

–Toni, no empieces –le cortó Helena.

–Se cree muy gracioso, se le nota a la legua –repuso Ezequiel–. Pues tené mucho ojo, gallego, que aquí no te vamos a reír los chistes.

–Ni falta que hace.

–Pues eso.

–Pues ya está.

En medio de la discusión, le hice un gesto a Helena señalando la bota de su amigo, que pisaba las llaves. Pero ella no pareció darse cuenta. Estaba más preocupada de que Toni y Ezequiel no terminaran a tortas. Tal vez por eso no le soltaba la mano.

–¡Venga, vamos de una vez! –gritó de nuevo Felipe.

–Pero... no podemos irnos así... –murmuró Camuñas, que permanecía agachado, esperando el momento de recuperar el llavero.

–Sí que podéis –zanjó Ezequiel, pisando con más fuerza si cabe.

No estaba dispuesto a ceder ni a levantar el pie.

–Vámonos, Toni –dijo Marilyn tirando de él–. Ya lo solucionaremos más tarde.

–¿Y el llavero? –insistió Camuñas mirando a Ezequiel–. No podemos irnos así. Ya te he explicado que son unas llaves que hemos traído de España... y son nuestras... Y claro, si se quedan aquí, se pueden perder... y se nos va a caer el pelo...

Entonces Helena se dio cuenta de lo que estaba ocurriendo.

Bajó la vista.

Y vio que bajo la bota de Ezequiel asomaba un llavero. Entendió perfectamente de qué se trataba.

–No os preocupéis. Podéis iros –dijo Helena–. Yo me encargo de todo.

–¿Seguro? –preguntó Toni.

–Segurísimo –respondió ella.

–¿Pero seguro seguro? –pregunté yo.

–Que sí, venga.

Aun sin estar muy convencidos, le hicimos caso y dimos media vuelta.

Supongo que Helena se encargaría de recuperar las llaves.

Caminamos hacia nuestros entrenadores.

Toni y Camuñas iban rezongando.

Mientras salíamos del campo, miré de reojo por última vez.

Ezequiel seguía exactamente en el mismo sitio, sin moverse ni un centímetro, con las llaves bajo su bota.

Y a su lado, Helena agarrándole de la mano.

Me giré y seguí adelante.

Seguro que aquello tenía una explicación lógica.

–¿Te has dado cuenta? –me preguntó Angustias, acercándose a mi lado–. ¡Es muy fuerte lo de ese Ezequiel!

–Claro que me he dado cuenta –respondí furioso–. No se han soltado de la mano ni un segundo desde que ha llegado. Es muy fuerte, ya le vale...

–¡No, no, que si te has fijado en el corte de pelo! –me cortó Angustias.

–¿Pero de qué hablas ahora?

–Pues del corte de pelo de ese chico, te lo estoy diciendo –insistió Angustias–. Es casi igual que el mío. El mismo flequillo, el mismo color... ¡Es prácticamente igual que el mío! ¿No te parece una casualidad increíble?

No podía creerme que, con todo lo que estaba pasando, se preocupara por el corte de pelo.

–Angustias, nos acaban de quitar las llaves que hemos robado. Nos han amenazado. Nos han echado de su campo. Encima, Helena y ese chico parecen novios, agarraditos de la mano... ¿Y a ti te preocupa el corte de pelo?

–Pues la verdad es que sí –contestó Angustias–. Es que nunca había visto uno igual que el mío. Oye, Pakete, no corras, espera...

12

Una docena de niños y niñas vestidos con pantalones y camiseta de color negro pegaban gritos.

Los jugadores y jugadoras del Black Bull se habían colocado en una fila al borde del área.

Cada vez que le tocaba a uno, hacía lo mismo.

Tomaba carrerilla.

Pegaba un grito:

–¡Aaaaaaaaaaaaaaaaarrrrg!

Y golpeaba el balón con todas sus fuerzas hacia la portería.

Nosotros observábamos el espectáculo desde nuestra parte del campo de tierra.

En ese momento le tocó a uno muy grande que llevaba el número 72 en la espalda.

Dio un grito y golpeó el balón con el pie.

La pelota salió disparada y se estrelló contra el larguero, que se quedó temblando del impacto.

A continuación le tocó a una chica alta y delgada con el número 63, que repitió la operación.

Ella también corrió hacia el balón muy concentrada, gritando algo en inglés: «Come ooooooooooooooon!».

Y después le dio un patadón.

La pelota voló hacia la portería, y esta vez... se estrelló contra el poste.

Fue un disparo muy fuerte.

Si en lugar de golpear el poste le hubiera dado a una persona, yo creo que habrían tenido que llevarle al hospital.

–Pues no son tan buenos –dijo Tomeo–. Desde que estamos aquí, no han metido ni un gol.

–Eso es cierto –corroboró Camuñas–. Siempre le dan al larguero o al poste. Disparan muy fuerte, pero no meten ni una.

–¿Pero no os dais cuenta? –preguntó Marilyn.

–¿De qué?

–Lo hacen a propósito –explicó la capitana–. Apuntan a los postes. Fijaos.

Otro jugador, un rubio con el número 80, disparó con la pierna izquierda.

El balón de nuevo salió disparado... ¡y se estrelló directamente en el poste!

Marilyn tenía razón.

Era mucha casualidad que todos los disparos dieran en el poste o el larguero.

–¡Ay, madre, lo están haciendo aposta! –exclamó Angustias.

–Me temo que sí –corroboró Anita.

Siguieron así un buen rato.

Corrían.

Gritaban.

Y le pegaban un balonazo a uno de los postes de la portería.

–Además van alternando, mirad –dijo Anita–. Primero golpean el poste derecho. Luego, el izquierdo. Y después, el larguero. Siguen un orden perfecto.

–Pero eso... eso es... casi imposible –murmuró Ocho.

–Pues ya lo ves –señaló Anita–. Y esos son nuestros rivales en el partido de mañana.

Incluso el portero era gigantesco: un chico negro que llevaba el 101 en la espalda y unos guantes amarillos que se podían ver desde varios kilómetros a la redonda.

Aquellos jugadores eran enormes, mucho más grandes que nosotros.

Corrían y gritaban sin parar.

Golpeaban el balón con tanta fuerza que parecían a punto de reventarlo en cada disparo.

Y por si eso fuera poco, tenían una puntería increíble.

–Nosotros también podríamos hacerlo –dijo Toni–. Solo es cuestión de ensayar un poco y ya está. No es para tanto.

–Solo es cuestión de ensayar un ratito –repitió Tomeo, muy poco convencido.

–Lo que pasa es que nosotros no perdemos el tiempo con esas cosas –insistió Toni–. Cada uno tiene su estilo.

–Exactamente: cada equipo tiene su propio estilo –dijo Camuñas–. Ellos son fuertes y corren más que nadie y disparan balones que parecen misiles. Y nosotros, o sea, nosotros... ¿Qué estilo tenemos nosotros?

–Nosotros somos humildes y no nos gusta ir por ahí alardeando –dijo Anita–. Eso es importante.

–Sí, sí, muy importante –dijo Tomeo–. Y casi no hacemos faltas. Acordaos de que el año pasado nos dieron el premio al juego limpio.

–Y también corremos, ¿eh? –recordó Marilyn–. A lo mejor no tanto como esos del Black Bull, pero echamos nuestras buenas carreras.

–En resumen –dijo Angustias–: somos humildes, no hacemos faltas y corremos... un poco.

–Hombre, así dicho no parece gran cosa –protestó Camuñas–. Tenemos muchas otras cosas... Por ejemplo, en el aeropuerto conseguimos sacar el balón sin tocar el suelo. ¿Eso no cuenta?

–Sí, sí, eso no lo hace cualquiera –dijo Ocho–, ¿verdad?

Aquello tenía muy mala pinta.

Angustias suspiró profundamente.

–¿Nos rendimos ya, o esperamos a mañana y que nos peguen una paliza? –preguntó.

–Yo voto por rendirnos –contestó rápidamente Tomeo.

–A mí no me asustan –aseguró Toni mirándolos.

En ese instante, un chico con el pelo rapado y aún más grande que los otros, con el número 77, pegó un grito descomunal y golpeó el balón, que salió volando a toda velocidad...

¡Impactó en el poste derecho!

Rebotó con fuerza y, al volver hacia él de nuevo...

¡Lo volvió a golpear otra vez antes de que tocara el suelo!

La pelota salió con más fuerza si cabe y...

¡Se estrelló contra el poste izquierdo!

Fue impresionante.

No contento con eso, aprovechó el siguiente rebote...

¡Y volvió a chutar!

¡Era la tercera volea consecutiva!

El balón subió de nuevo...

¡Y golpeó contra el larguero!

Increíble.

Para celebrarlo, el chico pegó un salto y se colgó de la portería.

–Black Buuuuuuuuuuuuuuull!!! –gritó desde allí.

Todos sus compañeros respondieron:

–Black Buuuuuuuuuuuuuuuull!!!

Dijera lo que dijera Toni, la verdad es que asustaba verlos.

Mucho.

–Black Bull significa «toro negro» –tradujo Anita.

–Ya, ya, no hay más que verlos –dijo Marilyn.

Estábamos todos perplejos

–¿Pero por qué gritan tanto? –preguntó Tomeo.

–¿Y por qué son tan grandes todos? –dijo Ocho.

–¿Y por qué llevan esos números tan raros? –añadió Angustias–. ¿¡Es que no pueden llevar el 1, el 2 o el 3, como los demás equipos!?

–Tranquilo, Angustias –respondió Marilyn–. A lo mejor en Nueva York es normal llevar esos números.

–Yo creo que se los ponen para impresionar a los rivales, igual que los gritos –dijo Anita–. Es una táctica de intimidación.

–Pues lo están consiguiendo –sentenció Angustias.

Alicia y Felipe aparecieron a nuestro lado.

La entrenadora llevaba un viejo balón en las manos.

–A ver, chicos, ¿qué tal esos estiramientos? –preguntó Alicia.

–¿Y las carreras? ¿Habéis dado tres vueltas completas? –dijo Felipe.

Nos miramos entre nosotros: se nos habían olvidado los ejercicios.

Lo único que habíamos hecho era observar a los jugadores del Black Bull.

–Sí, bueno –dijo Marilyn–, más o menos. Hemos estado analizando al rival de mañana; es importante estudiar sus características... y sus movimientos...

–O sea, que no habéis hecho nada –dijo Alicia, comprendiendo lo que estaba ocurriendo.

–¡Es que son enormes! –estalló Angustias, señalando al otro lado del campo–. ¡Y gritan mucho y disparan muy fuerte y... tienen todos unos números rarísimos en las camisetas!

–Ante todo, tranquilidad –respondió Felipe–. Os recuerdo que somos el Soto Alto. Y aunque ahora no vamos muy bien en la liga, hemos ganado más de un torneo.

–No somos menos que nadie –siguió Alicia–. Ellos serán los campeones de América. Pero si nos han invitado al Torneo del Obelisco, por algo será.

Ocho levantó la mano y dijo:

–Rosita dice que nos han invitado porque Bernardo es el presidente del Consejo Escolar, y en principio querían invitar al Real Madrid, pero él se empeñó en que viniéramos nosotros, porque Helena echa mucho de menos a sus amigos de España, y Bernardo quería darle una alegría a su hija. Vamos, que nos han invitado por enchufe, no porque seamos buenos.

–¿Cuándo te ha dicho eso Rosita? –pregunté.

–Anoche, durante la cena –respondió.

–Entonces, ¿somos unos enchufados? –preguntó Anita.

–Mira que quitarle el puesto al Real Madrid –se lamentó Tomeo.

–Son solo rumores –cortó Felipe, tratando de animar al grupo–. Además, ¿sabéis lo que os digo?

–¿Que nos volvemos a casa?

–¿Que nos retiramos del torneo?

–¿Que vas a hacer las cien flexiones?

–No, no, nada de eso... Bueno, a ver, las flexiones las voy a hacer –dijo el entrenador–. Pero sobre todo os digo una cosa: ¡vamos a demostrar que somos mejores que el Real Madrid y que cualquier otro equipo que hubiera podido venir!

–Hombre, no te pases; mejor que el Real Madrid tampoco –murmuró Alicia.

Continuaron hablando del torneo, del Black Bull, del Real Madrid, de las flexiones y del partido del día siguiente.

Pero yo solo podía pensar en una cosa.

Si Bernardo había organizado todo aquel viaje por Helena, eso significaba que ella nos echaba mucho de menos. A lo mejor no le gustaba tanto su nueva vida allí, y puede que hubiera alguna posibilidad de que en algún momento regresara con nosotros.

Solo pensarlo, me puse muy nervioso y muy contento.

Yo no quería separarla de su padre. Solo quería que volviera. Cuando Helena estaba con nosotros, éramos mucho mejores. Me encantaba jugar al fútbol con ella. Y pasear en bicicleta. Y ver los partidos en televisión. Y jugar a la Play. Y todo...

De pronto, mis compañeros rodearon a Felipe y empezaron a exclamar:

–¡Flexiones! ¡Flexiones! ¡Flexiones!

El entrenador hizo un gesto con la mano y dijo:

–Vale, está bien... Que conste que no se me había olvidado... Tenía pensado hacerlas aunque no lo hubierais dicho.

–Sí, fijo –dijo Camuñas.

Sin más, Felipe se agachó junto al centro del campo y empezó a hacer flexiones delante de todos.

–Una... dos... tres...

Hasta llegar a cien, tenía para un buen rato.

Mientras tanto, Alicia nos dio el balón que llevaba bajo el brazo y nos encargó hacer un rondo.

–¿No había otro balón un poco mejor? –preguntó Toni.

–Como han llegado antes, los del Black Bull han cogido todos –respondió–. Pero da igual, no os preocupéis; con este viejo balón tenemos de sobra.

Era un balón cochambroso que parecía estar a punto de desinflarse en cualquier momento.

Nos fuimos colocando todos en círculo para empezar el rondo.

–Ah, Pakete, una cosilla –me dijo Alicia al pasar a su lado.

–¿Sí?

–Nada, que para quitarte presión con eso de que no marcas goles... pues... que hemos pensado que mañana vas a empezar el partido en el banquillo.

–¿¡¡Voy a ser suplente!!?

–Es por un partido solamente, para que no te obsesiones con los goles... Y, además, Anita puede ocupar tu posición, no es la primera vez.

–¡Pero si Anita es portera!

–Aquí todos somos parte del equipo, y cada uno juega en la posición que sea necesario –explicó Alicia muy seria–. Es lo mejor para ti. Seguro que en cuanto te olvides de que llevas catorce semanas sin marcar... vas y, hala, metes un golazo por la escuadra.

–¿Llevo catorce semanas sin marcar? ¿Las has contado?

–Yo no... o sea... ha sido Felipe –contestó Alicia señalándole–. Ya le conoces, siempre lleva la cuenta de todo... Pero vamos,

no le des mucha importancia. Hasta los mejores tienen que descansar en algún partido. Venga, ánimo.

Había viajado hasta Buenos Aires... ¿para quedarme en el banquillo?

Me quedé completamente chof.

Se me quitaron las ganas de todo.

–¡Pakete, venga, que te toca el rondo! –exclamó Marilyn.

Levanté la vista.

Mis compañeros se habían colocado en un círculo perfecto. Como me había quedado el último, me tocaba estar en el medio.

Resignado, caminé hasta allí.

Y entré en el círculo.

De inmediato, empezaron a pasarse la pelota unos a otros.

Se suponía que yo tenía que perseguir el balón, intentar robarlo, cortar un pase.

Sin embargo, no tenía ganas de moverme.

Oí los gritos del Black Bull al otro lado del campo.

Seguían igual:

–Aaaaaaaaaaaaaaaaaah!

–Come oooooooooon!

–Black Buuuuuuuuuuull!

Y estrellando balonazos contra la portería.

También escuché a Felipe contando en voz alta las flexiones:

–Cuarenta y cinco... Cuarenta y seis...

Estaba sudando la gota gorda, se veía que no podía más.

Yo creo que se había saltado alguna, aunque no dije nada.

Respiré hondo.

De momento, las cosas no estaban saliendo como yo quería.

Pero no me pensaba dar por vencido.

Miré a mis amigos.

Y empecé a correr detrás de aquel viejo balón.

13

Después del entrenamiento, nos llevaron de excursión por distintos sitios de la ciudad de Buenos Aires.

Fuimos los tres equipos invitados:

El Xuan Jung.

El Black Bull.

Y el Soto Alto.

Los de La Loma no vinieron. Supongo que ya conocían la ciudad y a lo mejor tenían cosas más importantes que hacer, como entrenar, o preparar las tácticas del torneo, o... ¡agarrarse de la mano!

¡Aggggggggggggg!

Fuimos a comer a una plaza muy bonita que, por lo visto, está en un barrio muy conocido de Buenos Aires. Se llama Recoleta y tiene un montón de edificios antiguos y estatuas y también parques.

Nos dieron empanada argentina, un plato muy típico allí, y la verdad es que estaba muy buena.

Después visitamos la Casa Rosada, que es donde vive el presidente de Argentina.

Y, por último, fuimos a Puerto Madero, un barrio muy moderno con edificios y puentes que dan a un río enorme: el Río de la Plata.

Estuvimos por allí paseando y haciendo fotografías.

Los jugadores chinos y los americanos hacían fotos cada dos pasos.

Era imposible avanzar sin que tuviéramos que detenernos para hacer otra foto.

Parecía que les daba igual todo, solo querían fotos y más fotos.

Esteban y mi padre se contagiaron, y ellos también se dedicaron a hacer fotografías de todo lo que veíamos.

–Para mandárselas a tu madre –explicó mi padre.

–Eso, eso –corroboró Esteban, que antes de cada foto se repeinaba un poco–, y de recuerdo también. No se viaja a Buenos Aires todos los días.

Alicia y Felipe también se hicieron unas cuantas.

A mí es una cosa que nunca me ha gustado demasiado. Eso de hacerse doscientas fotografías en el mismo sitio... no lo entiendo muy bien. Yo creo que con una es más que suficiente.

Después cruzamos el río por encima de un puente gigantesco de color blanco.

Cuando estábamos por la mitad más o menos, Toni se acercó a mí y, bajando la voz para que no le oyeran los mayores, dijo:

–¿Tú crees que Helena y Rosita habrán recuperado las llaves?

La pregunta me cogió por sorpresa.

Toni nunca habla conmigo a solas.

Somos del mismo equipo y jugamos juntos y todo eso, pero no solemos hablar de casi nada.

Pero, por lo que se ve, aquella tarde estaba más simpático que de costumbre.

–Di: ¿habrán conseguido las llaves? –volvió a preguntarme–. Ese chico, el pelos, es un poco... cabezota.

–No lo sé, espero que sí –respondí–. Después de todo, son compañeros y parece que se llevan muy bien. Si Helena se las pide, seguro que se las da sin problema.

–Ya, ya. Son muy amiguitos –dijo él–. ¿Te parece normal que vayan agarrados de la mano?

En ese instante me di cuenta de que a Toni le había molestado tanto como a mí.

Desde luego, yo no pensaba reconocerlo.

–Hombre, normal no sé... No es nada malo cogerse de la mano –dije, tratando de aparentar que a mí me daba igual.

–Entonces, ¿te parece bien?

–Ni bien ni mal –insistí–. Yo en esos temas no tengo opinión.

–¿En qué temas?

–Pues en los temas de agarrarse de la mano.

–No sabía que era «un tema».

Pensé decirle: «Mira, hay muchas cosas que tú no sabes».

Pero decidí quedarme callado.

Un barco pasó por debajo del puente.

Era uno de esos barcos turísticos que hacían una excursión por el río.

Visto desde arriba, daba la sensación de que estaba llenísimo de gente.

Rápidamente, Esteban sacó su teléfono móvil.

–Ponte ahí, Emilio –le dijo a mi padre–, que te voy a hacer una foto con el barco de fondo. Va a ser la bomba.

No sé qué tiene de particular una foto con un barco detrás, pero a mi padre le encantó la idea.

Y al verlos, el resto los imitaron.

Los chinos se volvieron locos con el barco. Como si fuera la primera vez en su vida que veían uno.

Empezaron a hacer fotos sin parar. Eran los que mejor preparados venían: habían traído un montón de palos de selfie para que nadie se quedara fuera de las fotos.

Los americanos también se hicieron muchísimas fotos en el puente. Se colocaron todos juntos sonriendo, con el barco detrás de ellos.

Y, por supuesto, mis compañeros.

En pocos segundos, estaban todos haciéndose fotos con el río y el barco debajo.

–Yo no salgo, soy muy bajito –protestó Ocho.

–Gejadddme sitiiio –dijo Tomeo con la boca llena.

Se estaba comiendo un alfajor, un postre argentino que está relleno de dulce de leche. En realidad llevaba toda la tarde comiendo; prácticamente se había zampado una bolsa entera.

–Tomeo, por favor, deja de comer alfajores, que luego te va a doler la tripa –le advirtió Felipe.

–Si es que denggo el azúgar muy bajjjo y decesito alimentaggme –se disculpó, y lo engulló de un bocado.

Los únicos que no nos movimos fuimos Toni y yo.

Permanecimos apoyados en la barandilla del puente.

Sin mirarnos. Y sin movernos.

–Te propongo un trato –dijo Toni.

–¿A mí? –pregunté extrañado.

–Sí, a ti. Te propongo un trato muy bueno para los dos.

Le miré sorprendido.

Toni es un chulito y nunca me hace ni caso. Muchas veces empuja y grita a los que tiene alrededor. Y luego, durante los partidos, es un chupón. Y sus bromas no me hacen gracia. Y...

¡Y ahora quería que hiciésemos un trato!

Estaba tan sorprendido que no sabía qué responder.

Dije:

–Hummmmmmmm.

–El trato es el siguiente –dijo él–: yo te ayudo a que metas un gol en el partido de mañana... y, a cambio, tú me ayudas a que Helena sea mi novia.

¿¡¡QUÉ!!?

¿Helena su novia?

¿Cómo?

¿Cuándo?

¿Por qué?

–Te has quedado helado con lo del gol, ¿eh? –dijo.

–Un poco sí –respondí, aunque más bien estaba pensando en lo otro que había dicho.

–Mira, llevas un montón de tiempo sin meter gol –siguió Toni–. Un delantero que no mete goles es como... como... un río que no tiene agua...

Ambos miramos el río debajo de nosotros.

El Río de la Plata tiene un caudal de agua enorme.

–Yo puedo ayudarte a que metas un gol durante el partido, ya lo verás –continuó–. En cuanto salgas a jugar, te daré pases, estaré pendiente de ti, dejaré que tires los penaltis y las faltas. Haré todo lo que sea necesario hasta que metas un gol. Te lo prometo.

Toni sabía de qué hablaba.

Es el máximo goleador del equipo. Seguro que, si él se lo proponía, podía ayudarme a meter un gol. Y se acabaría mi sequía. Y seguro que, si metía el primero, luego llegarían los siguientes goles. Y ya nadie volvería a pensar en dejarme en el banquillo. La verdad es que estaba deseando volver a meter un gol.

Tres meses sin marcar es muchísimo tiempo.

Pero a cambio...

–¿Cómo puedo ayudarte yo a que Helena sea tu novia? –pregunté.

Solo de pensarlo, me ponía malo.

–Seguro que se te ocurre algo –respondió–. Sois muy buenos amigos. Y a ti siempre te hace caso. Ahora que está el pelos ese en medio, necesito tu ayuda. Le puedes hablar bien de mí a ella. O lo que sea. Yo qué sé. Piensa alguna cosa. Di: ¿me vas a ayudar?

–Pues...

–¿Quieres meter un gol o no?

–Sí, claro que quiero.

–Entonces, no hay más que hablar. Trato hecho.

Toni extendió su mano derecha.

Como hacen los mayores.

Era un momento muy extraño.

Le miré.

Me observaba con la mano extendida.

Tenía que tomar una decisión.

He dicho un millón de veces que a mí no me gusta ninguna chica del mundo, y que no quiero saber nada de novias ni nada parecido. Pero de ahí a ayudar a Toni para que Helena y él sean novios...

Uffffffffffff...

¡No sabía qué hacer!

Toni se acercó a mí.

Sin esperar a que yo reaccionara, cogió mi mano con la suya y la apretó con fuerza.

Yo no hice nada, lo prometo.

No dije «trato hecho», ni le di la mano, ni nada.

Aunque la verdad es que tampoco impedí que él lo hiciera.

Toni me apretó la mano durante un buen rato.

–Tenemos un trato –dijo.

–Eso parece.

–El trato del Río de la Plata –añadió mirando al horizonte.

Toni sonrió satisfecho.

En aquel puente sobre el río, me di cuenta de que ya no había vuelta atrás.

14

–No quiere dármelas.

–¿Cómo?

–Zequi. No quiere darme las llaves.

Helena parecía desconcertada.

Nos encontrábamos en el gran comedor de la residencia.

Un salón gigantesco con techos muy altos.

Había un montón de mesas alargadas.

Allí estábamos todos los participantes en el torneo.

Los jugadores, los entrenadores, los adultos que iban de acompañantes y otras personas que no sé quiénes eran; imagino que profesores del colegio.

Primero tenías que hacer una cola muy larga.

Después tomabas una bandeja.

Te ponían la comida y la bebida.

Y a continuación buscabas un sitio donde sentarte.

–A mí, ración doble, por favor –dijo Tomeo al cocinero que servía detrás del mostrador–. Es que llevo todo el día entrenando y recorriendo la ciudad, y creo que me encuentro un poco flojo.

El cocinero no se inmutó.

Se limpió con el delantal y, sin mirarle siquiera, le puso un plato de pollo, una ración de patatas fritas y un plátano.

Exactamente igual que a todos los demás.

Tomeo miró su bandeja desolado.

–Perdone, a lo mejor no me he explicado bien, señor cocinero –insistió mi compañero de equipo–. Es que tengo la tensión muy baja, y el azúcar, y todo... Vamos, que necesito más comida, aunque no me apetezca. Me tengo que esforzar. ¿Me puede poner otro plato, por favor?

El hombre levantó la vista y le respondió:

–Si quieres llegar a anciano, come poco y cena temprano.

–Muy bonito refrán. Pero si me pudiera poner otro muslo de pollo...

–Desayuna como un rey, come como un príncipe y cena como un mendigo.

–Esa frase es muy bonita también. Veo que se sabe muchos refranes...

–La comida reposada, y la cena paseada.

Tomeo se dio por vencido.

Estaba claro que no le iba a poner una ración extra.

Cogió la bandeja con ambas manos y se dirigió hacia nuestra mesa.

Aun así, el cocinero le soltó otro refrán mientras se alejaba:

–Come poco y cena menos, que la salud de todo el cuerpo se fragua en la oficina del estómago.

–Que sí, que sí.

Tomeo se sentó delante de mí.

Miraba su plato como si fuera un incomprendido.

–A lo mejor te viene bien cenar poco por una noche –dije, por decir algo.

–Si yo no tengo hambre, es por precaución, que luego me baja la tensión y lo paso fatal. Una vez, casi me desmayo.

–Venga, te doy mi plátano. Anímate –dijo Camuñas.

–Yo también –dijo Anita–. A mí es que la fruta...

Los dos le pasaron el postre a su bandeja.

–¿Las patatas me las dais también? –preguntó Tomeo, ya más contento.

–Las patatas fritas preferiría comérmelas yo, si no te importa –respondió Camuñas.

En ese momento, llegó Helena a nuestro lado.

No traía buena cara.

Todos la observamos con preocupación.

Y entonces fue cuando lo soltó de golpe:

–No quiere dármelas.

–¿Cómo? –pregunté.

–Zequi. No quiere darme las llaves.

–Pero eso no puede ser –protesté–. Esas llaves son nuestras...

–Hombre, nuestras tampoco, que las hemos robado hace un rato como quien dice –replicó Camuñas.

–Shhhhhhhhhhhh –dije, llevándome el dedo índice a la boca y señalando hacia la mesa donde estaban cenando los adultos–, que te van a oír.

Rosita también se acercó a la mesa.

–Es muy terco Ezequiel –explicó–. Dice que ustedes dejaron las llaves tiradas en el terreno de juego y que él las encontró. No hay nada que hacer.

–No las dejamos tiradas –corrigió Anita–. Las pusimos sobre el césped para mirarlas mejor.

–Como sea –continuó Rosita–, no quiere devolverlas.

–A lo mejor sospecha que son de aquí y por eso las quiere –dije.

–Creo que no –negó Rosita–. Es solo por hacerles rabiar.

–Entonces, ¿qué hacemos?

–Pues habrá que robar otra llave –dijo Helena resignada.

Todos nos giramos.

Miramos a nuestro alrededor.

En la mesa del fondo estaba el doctor Bianchi, acompañado de su inconfundible ayudante Romero. Con sus trajes azules y sus corbatas impecables.

Un poco más allá, junto al cocinero, se encontraba de pie la Besuievsky, embutida en su inseparable chándal rojo.

Ninguno de los tres llevaba un llavero colgando del cinturón, como el guardia de seguridad.

Iba a resultar muy difícil quitarles las llaves.

Puede que ni siquiera las llevaran encima.

A lo mejor las tenían guardadas en un cajón de sus despachos. O en su casa. O en cualquier sitio.

–¿Estáis seguras de que no podéis convencer a Ezequiel? –preguntó Ocho.

–Ya lo hemos intentado –aseguró Helena–. Y dice que solo hay una forma de que devuelva las llaves.

–¿Hay una forma? –preguntó Marilyn, esperanzada.

–Es una tontería –dijo Rosita–. No queríamos decírselo a ustedes.

–¿De qué se trata? –insistió Marilyn.

–Es absurdo, una boludez –dijo Rosita bajando la vista–. Tiene unas ocurrencias que vamos...

–¿Pero qué es? –pregunté yo.

–Pues... a ver... –empezó Helena–. Quiere una cosa a cambio de las llaves.

–¿El qué?

–Díselo tú, Rosita, que a mí me da vergüenza.

La hermanastra se echó su melena rojiza hacia atrás, se acercó a la mesa y dijo:

–Quiere que todos ustedes se corten el pelo al uno.

–¿¡¡Qué!!? –exclamó Marilyn indignada.

–¿El pelo rapado? –dijo Camuñas, llevándose la mano a su inseparable gorra.

–¿Quién se tiene que cortar el pelo? –preguntó Marilyn, que no terminaba de entenderlo.

–Ustedes –dijo Rosita–. Los ocho integrantes del equipo Soto Alto. Si se lo cortan antes del partido, les devolverá las llaves.

–A mí un arreglo no me vendría mal –dijo Angustias.

–No vamos a aceptar –zanjó Helena–. Aquí nadie se va a cortar el pelo. Además, nosotras os hemos metido en todo este lío del obelisco. Y nosotras lo vamos a solucionar, ya veréis.

–Bien dicho –la secundó Rosita.

–Conseguiremos otra llave como sea –siguió Helena.

–Y nos olvidaremos de Zequi.

–Eso.

–Nada de cortarse el pelo, faltaría más.

–¿Quién se ha creído que es?

–Es un chantajista.

–Y un aprovechado.

–Quiere reírse de ustedes.

–¡Nadie se va a rapar!

Las dos hermanastras continuaron así un buen rato.

Insistiendo en que eso de raparse el pelo era absurdo. Y que ellas se encargarían de todo. Y que a quién se le podía ocurrir una broma de tan mal gusto. Que solo era para reírse de nosotros y que no lo iban a permitir.

De ninguna manera.

Nosotros nos habíamos quedado callados.

Todos estábamos pensando lo mismo, me parece.

Entonces llegó el último del equipo que faltaba: Toni.

Puso su bandeja sobre la mesa y se sentó tranquilamente.

–¿Qué está pasando? –preguntó–. ¿A qué vienen esas caras?

–Nada –dijo Camuñas–, que nos vamos a cortar el pelo al uno para el partido de mañana.

Toni sonrió y dijo:

–¡Mola!

15

El primero en saltar al terreno de juego fue Camuñas.

Con su inconfundible gorra.

Después salimos el resto del equipo.

Con el pantalón negro, las medias azules y la camiseta azul a rayas.

Como siempre.

Solo había una pequeña diferencia con otras ocasiones.

Todos llevábamos una gorra.

De color azul.

Muy parecida a la de Camuñas.

Solo que en la suya ponía «1», y en la nuestra no ponía nada.

Nos colocamos en el centro del campo, muy serios.

Hicimos un corro.

Ante la atenta mirada de los presentes: el árbitro, los miembros del equipo rival, nuestros propios entrenadores y las personas que habían venido a presenciar el partido. Entre otros, el doctor Bianchi y su ayudante, la Besuievsky, todos los jugadores de La Loma y del Xuan Jung. Y, por supuesto, Esteban y mi padre.

Todos nos observaron con curiosidad.

Marilyn gritó:

–¿Quiénes somos?

Y todos respondimos a la vez:

–¡El Soto Alto!

–¿Qué hacemos?

–¡Jugar, sudar y ganar!

–¿Por qué?

–¡Porque somos...!

Los ocho, al mismo tiempo, pegamos el gran grito final:

–¡¡¡El Soto Alto!!!

Y tiramos las gorras al aire, tal como habíamos ensayado un rato antes.

Dejando ver nuestras cabezas...

¡Completamente rapadas!

Esa mañana, después del desayuno, habíamos hecho una visita a la peluquería de La Loma. Y nos habíamos cortado el pelo al uno.

Los ocho.

Al principio, yo pensé que se iban a reír de nosotros.

Pero cuando los del Black Bull nos vieron, no hubo ni una carcajada. Al contrario, yo creo que se quedaron en shock.

Anita se acercó al capitán, el número 77, que estaba junto al círculo central observándonos con la boca abierta.

Y, señalando su cabeza, le preguntó muy seria:

–Do you like it?

Que significa: «¿Te gusta?»

El 77 hizo un gesto como si no entendiera nada.

Ellos podían ser enormes.

Gritar mucho.

Pegar unos tremendos pelotazos.

Y tener mejor puntería que nadie.

Pero nosotros...

¡Llevábamos el pelo rapado!

No sé si serviría de algo.

Pero, de momento, estaban desconcertados.

Y no eran los únicos.

Mi padre se puso en pie en la grada y me pegó un grito:

–¡Pero, Francisco, hijo mío, cómo se os ocurre! ¡Ya verás cuando se entere tu madre...!

Yo me encogí de hombros y me dirigí al banquillo. El partido estaba a punto de empezar.

Felipe me miró fijamente nada más sentarme a su lado.

–Nos habíais dicho que Esteban y tu padre os habían dado permiso para cortaros el pelo –dijo.

–Sí, bueno, más o menos –contesté.

–Déjalos –dijo Alicia–. Ya son mayorcitos, ellos sabrán lo que hacen. Si quieren jugar sin pelo, que jueguen. Cosas más raras se han visto.

Teníamos una pinta un poco ridícula.

Totalmente rapados.

Pero no me importó.

Lo habíamos hecho por una buena causa.

Y además parecía que, por el momento, a nuestros rivales les había impresionado.

Miré hacia las gradas.

Allí pude ver a Helena y a Rosita y al resto de jugadores de La Loma. Ellos también habían venido a vernos. Si llegaban a la final, su rival sería el vencedor de este partido.

Crucé una mirada con Helena.

Ella levantó la mano.

Allí estaba: ¡tenía el llavero en su poder!

A su lado, Ezequiel y los otros jugadores nos señalaban y se reían.

No se esperaba que fuéramos capaces de raparnos.

Yo tampoco, la verdad.

Pero lo habíamos hecho.

Y habíamos recuperado las llaves.

Lo cual, bien pensado, no sé si era bueno o malo. Porque dentro de un rato tendríamos que ir a la sala de trofeos... y robar el obelisco.

Eso sería después.

Ahora teníamos que jugar un partido.

El árbitro hizo sonar el silbato.

Y el partido dio comienzo.

Anita sacó de centro para Ocho.

Ocho se la pasó a Marilyn.

Y la capitana...

Pegó un espectacular zurdazo que mandó el balón al campo contrario.

Toni corrió a por la pelota.

Los jugadores del Black Bull todavía estaban un poco despistados. No se esperaban nada de lo que estaba ocurriendo. Tardaron unos segundos en reaccionar.

Suficiente para que Toni pegara un salto y controlara la pelota con el pecho al borde del área.

Enseguida salieron a cortarle el paso dos defensas: la chica alta y delgada y, detrás de ella, otro jugador aún más alto.

Toni dejó que el balón bajara al suelo, se dio la vuelta... ¡y lo pasó entre las piernas de los dos defensas!

Lo nunca visto.

¡Había hecho un doble caño!

Como era mucho más bajito que ellos, pasó a su lado a toda velocidad, recuperó la pelota y, sin más, pegó un tremendo chut.

El balón salió disparado hacia la portería.

Directo a la escuadra.

El portero se estiró, pero era imparable.

¡El balón entró pegado al larguero!

¡¡¡Gooooooooooooooooool!!!

Golazo impresionante.

Nada más empezar.

En menos de un minuto.

Toni era un chulito y un chupón, pero había que reconocer que a veces metía unos goles increíbles.

Mis compañeros en el campo se abrazaron y gritaron:

–¿Quiénes somos?

–¡El Soto Alto!

–¿Qué hacemos?

–¡Jugar, sudar y ganar!

–¿Por qué?

–¡¡¡Porque somos... el Soto Alto!!!

Toni sonrió y señaló hacia la grada.

Concretamente, hacia... Helena.

Ella estaba en pie, aplaudiendo.

–¡Bravo, Toni! –exclamó–. ¡Golazo!

Ufff...

Por la manera en que se miraban, pensé que a lo mejor ya no necesitaba mi ayuda para que fuera su novia.

Creo que no fui el único que se dio cuenta.

Ezequiel, molesto, gritó:

–¡No canten victoria, pelados! ¡Esto no ha hecho más que empezar!

Tenía razón.

El comienzo había sido... mejor imposible.

Miré al marcador:

Soto Alto, 1 - Black Bull, 0.

Pero teníamos todo el partido por delante.

Empujaban.

Golpeaban.

Y volvían a empujar.

El estilo de juego del Black Bull era muy simple.

Correr y golpear.

No hacían regates. Ni paredes. Ni caños.

No los necesitaban.

Pegaban un patadón y echaban a correr detrás de la pelota.

Si alguien se ponía en medio, le empujaban.

Como eran el doble de grandes, se podían quitar de en medio a cualquiera.

No era un estilo muy refinado.

Pero, por lo que se ve, les había bastado para ganar un montón de partidos y para ser el equipo infantil campeón de América.

Durante los siguientes minutos de partido, nos pasaron por encima.

Nos tenían acorralados en nuestro campo.

Embestían una y otra vez.

Lanzaban el balón, pegaban un grito y echaban todos a correr.

Era impresionante verlos.

Eran como... como... ¡como un toro!

El nombre les iba perfecto.

Enseguida se olvidaron de nuestra salida triunfal, y de que llevábamos el pelo rapado, y de todo lo demás.

Su único objetivo era darle al balón.

Y atacar.

¡Ah!, y si en algún momento alguno de nuestro equipo intentaba salir con la pelota controlada, siempre aparecía alguno del Black Bull y le pegaba un empujón sin contemplaciones.

El árbitro pitó algunas faltas y les dijo varias veces:

–¡Tranquilos, tranquilos! Calm down!

Aunque se lo dijo en español y en inglés, ellos le ignoraron y siguieron a lo suyo.

Durante la primera parte, yo creo que dispararon a nuestra portería más de cien veces.

Fue un milagro que ningún tiro entrara.

Camuñas hizo algunas paradas espectaculares.

Con las dos manos.

Con el puño.

Con los pies.

Incluso hizo un paradón con la cara.

Aunque fue sin querer, claro.

El chico rubio remató desde fuera del área con mucha fuerza... ¡y le estampó el balón en pleno rostro!

Tuvieron que atenderle porque se quedó con la cara roja y un poco mareado.

Alicia le echó agua y le preguntó si podía seguir.

–Sí, sí... Estoy perfecto –respondió el pobre Camuñas resoplando–. Creo que me he roto un diente.

Sonrió y, efectivamente, se había roto el diente delantero.

Menuda pinta tenía.

Con el pelo rapado.

La cara hinchada y roja.

Y un diente roto.

–Será mejor que descanses un rato en el banquillo –sugirió Felipe.

–No, por favor, estoy bien –contestó Camuñas, poniéndose en pie.

Quedaba muy poco para que terminara la primera parte.

Aunque de milagro, habíamos aguantado.

El marcador seguía 1 a 0 a nuestro favor.

Los jugadores del Black Bull estaban que echaban humo. No se podían creer que fueran perdiendo.

El número 77 se acercó a Marilyn y le soltó:

–Pelados, you are very lucky!

–Ya, ya, nosotros mucha suerte, very lucky –respondió ella–. Y vosotros muchos gritos y muchos empujones.

–Nosotros, estilo black toros –explicó el chico, medio en español, medio en inglés–. ¡Correr mucho y golpear mucho! Black Bull!

–Pues nosotros, estilo Soto Alto –contestó nuestra capitana–: ¡cortar pelo y meter gol!

Él la ignoró.

No había tiempo para más charla.

Una defensa del Black Bull sacó de banda.

Lanzó el balón con fuerza hacia uno de sus compañeros, que enseguida le pegó un patadón.

Como hacían siempre.

Alicia estaba en pie delante del banquillo.

–¡Vamos, chicos, aguantamos, que ya casi estamos en el descanso! –gritó.

Tomeo salió a despejar de cabeza, pero un delantero de los Bulls se apoyó en él y los dos cayeron al suelo, sin dar a la pelota.

–¡Árbitro, falta! –exclamó Felipe desde la banda.

–Carga legal –replicó el árbitro–. ¡Jueguen!

El balón quedó suelto muy cerca del área.

El 77 pegó un grito y echó a correr.

Angustias también fue hacia la pelota.

En la grada hubo algunos gritos de ánimo y apoyo.

Camuñas permanecía debajo de la portería, atento a la jugada.

El delantero del Black Bull llegó junto al balón y, al ver que Angustias iba corriendo directo hacia él, le miró con cara de pocos amigos y le pegó un grito tremendo:

–¡Tú, veteeeeeeeeee! Go awayyyyyyy!

Angustias, asustado al ver aquel jugador tan enorme gritándole, levantó los brazos como si se rindiera y, sin detenerse ni un segundo, pasó corriendo de largo.

–¡Me voy, me estoy yendo! –exclamó.

El 77 tuvo tiempo de colocarse el balón tranquilamente.

Tomar carrerilla.

Preparar su pierna buena.

Pegar un nuevo grito:

–Black Buuuuuuuuuuuuuull!

Y disparar.

El balón voló hacia la portería.

Camuñas lo vio venir.

Extendió las manos y los brazos.

Pegó un salto.

Y...

¡ZAS!

La pelota le impactó de nuevo en pleno rostro.

Fue un golpetazo aún más fuerte que el anterior.

Del golpe, Camuñas cayó al suelo.

El balón rebotó.

Y fue a parar a los pies del delantero.

Levantó la vista y vio la portería vacía.

Camuñas estaba tirado boca abajo, tapándose la cara con las manos, doliéndose del impacto recibido.

Sin saber qué ocurría.

Y sin poder hacer nada.

Todos nos pusimos en pie.

Expectantes.

El 77 solo tenía que empujar suavemente la pelota para que entrara a gol.

Pero, aun así, no pudo evitarlo.

Era su estilo.

El estilo Black Bull.

Dio un grito que se escuchó desde muy lejos:

–Aaaaaaaaaaaaaaaaaaaaaaaaaaaargggg!!!

Y volvió a golpear el balón con todas sus fuerzas.

La pelota pasó por encima de Camuñas como un cañonazo...

¡Y entró en la portería!

Casi atravesó la red.

¡¡¡¡Gol!!!!

Todos los jugadores del Black Bull empezaron a gritar al mismo tiempo:

–Uh! Uh! Uh! Uuuuuuuuuuh! Black Buuuuuuuuuuuuuuull!

Hasta para celebrar los goles tenían que gritar más que nadie.

No hubo tiempo para más. El árbitro pitó el final de la primera parte.

En el marcador:

Soto Alto, 1 - Black Bull, 1.

Camuñas se incorporó.

Tenía la cara aún más hinchada y roja.

Abrió la boca para preguntar:

–¿Qué ha pazado?

Se había roto otro diente.

Y ceceaba al hablar.

–¿Qué paza? ¿De qué oz reíz?

17

–Venga, háblale bien de mí. Dile algo.

–¿Pero ahora?

–Ahora mismo.

Toni y yo estábamos delante de la puerta de los vestuarios.

Helena venía por el pasillo, caminando directamente hacia nosotros.

–Recuerda el trato del Río de la Plata –murmuró Toni.

–Ya, ya –respondí.

Helena se acercó con cara de preocupación.

–Son un poco brutos estos del Black Bull –dijo ella.

–Un poquillo –dijo Toni, y me dio un codazo para que hablara.

–Eh... Sí –dije–. Pero, por suerte, Toni ha metido un golazo impresionante.

Helena me miró sorprendida.

–Sí, ha sido un gol genial –dijo.

–Bueno, no ha sido nada del otro mundo –contestó Toni, quitándose importancia–. Es mi especialidad: los goles increíbles por la escuadra.

Yo me reí como si fuera lo más gracioso que había oído en mi vida.

–Cómo eres, Toni, ja, ja, ja, ja, ja –dije, tratando de hacer mucho ruido al reírme–. Qué cosas tienes. ¿A qué es supergracioso, Helena?

–Sí, sí, mucho –respondió ella–. Bueno, lo importante: aquí tengo las llaves de la sala de trofeos.

Nos mostró el enorme llavero que habíamos quitado al guardia de seguridad el día anterior.

–Genial –exclamé al verlas–. Toni, ¿las guardas tú?

–¿Yo? –preguntó extrañado.

–Claro, a ti seguro que no se atreve a quitártelas nadie –dije–. Todo el mundo te respeta. Eres el más fuerte del equipo.

–Eso sí, je, je, je –dijo él agarrando el llavero–. Yo me encargo de guardarlas hasta la hora del partido. Conmigo están a salvo, no os preocupéis.

–Acordaos: tenéis que aprovechar cuando empiece nuestro partido para robar el obelisco –dijo Helena–. Es el mejor momento. Todo el mundo estará en el campo de fútbol a esa hora.

–Perfecto –repetí–. Ya verás como todo sale bien. Además... Toni tiene un plan secreto para el robo.

–¿Yo? –preguntó él otra vez, sorprendido–. ¿Tengo un plan?

–Pues claro, un plan que no puede fallar –insistí–. Todos sabemos que eres el cerebro del grupo. Aunque a veces no lo parezcas, ja, ja, ja...

–Ah, es verdad –dijo Toni–, sí, sí, un plan...

Helena nos miró sin entender.

–A ver, ¿cuál es el plan? –preguntó.

Él tragó saliva.

–Cuéntaselo tú, Pakete –dijo.

–¡Pero si el plan es tuyo! –respondí.

–Ya, pero es un trabajo en equipo –replicó, taladrándome con la mirada–. Yo pienso el plan, guardo las llaves, meto los goles... y tú... lo cuentas. Eres como mi ayudante, por así decirlo.

–Qué bien, tu ayudante... Pues es un plan... –empecé a decir, improvisando–, un plan... supersecreto. Ya sabes, uno de esos planes que nadie puede saber.

–Qué tontería. Yo soy vuestra amiga –dijo Helena– y soy la que ha tenido la idea de robar el obelisco... A mí me lo podéis contar.

–A ti sí, claro –dijo Toni sonriendo–. Venga, Pakete, díselo de una vez, anda.

–Es que habíamos quedado en no contárselo a nadie –respondí, viendo que aquello cada vez se estaba liando más; esto de hablar bien de Toni era más difícil de lo que parecía–. Su propio nombre lo indica: «plan secreto». No te preocupes, todo saldrá perfecto. Toni es un genio.

Ella nos miró con los ojos muy abiertos.

–Estáis rarísimos los dos –sentenció.

–Es por el partido... y por el plan... y un poco por todo –dije–. Menos mal que está Toni. Seguro que gracias a él sale todo bien. Vamos, si yo fuera una chica... como tú, por ejemplo... yo creo que estaría deseando que Toni fuera, ya sabes, que fuera... mi novio.

Puffffffffffffff...

¿Qué acababa de decir?

Me había pasado.

Incluso el propio Toni me miró sorprendido.

Se había puesto rojo como un tomate.

–¡Pero qué estás diciendo! –dijo, y me dio un empujón; luego miró a Helena–. Tú ni caso. El pobre está así desde que no mete goles y encima es suplente. Ya se le pasará.

Nos quedamos los tres en silencio un instante.

Sin saber qué decir.

Era una situación muy extraña.

Yo intentando hablar bien de Toni...

¡Tratando de convencer a Helena para que fuera su novia!

¡Y soltando lo primero que me venía a la cabeza!

No sé por qué había aceptado.

Definitivamente, el trato del Río de la Plata no era un buen trato.

Creo que podríamos habernos quedado allí callados todo el día.

Por suerte, una voz nos llamó a gritos:

–¿Dónde os habíais metido?

Felipe se asomó al final del pasillo y nos hizo gestos con la mano.

–¡Pakete, Toni! ¡Venga, que está a punto de comenzar la segunda parte!

–¡Ya vamos! –respondió Toni aliviado–. Bueno, tenemos que irnos... Luego nos vemos.

–Mucha suerte con el partido –dijo ella–. Y con el robo.

–Gracias –contesté yo–. Pero vamos... Con Toni en el equipo, seguro que todo sale genial. Es la bomba...

–Déjalo ya –me cortó Toni–. Hasta luego.

Nos dimos la vuelta y nos encaminamos hacia nuestro entrenador.

Toni me agarró del brazo y tiró de mí.

–¿Se puede saber qué haces? –me preguntó en voz baja.

–Pues intentar que Helena vea lo guay que eres.

–Lo has hecho fatal –dijo él–. Seguro que ahora Helena piensa que somos dos idiotas. Sobre todo tú, claro.

–¡Si solo he dicho cosas buenas de ti!

–Pero se notaba que no lo decías de verdad –soltó–. Tienes que esforzarte, puedes hacerlo mucho mejor.

–Yo me esfuerzo, pero no es fácil.

–Pues esfuérzate más.

–¿Y el gol? –pregunté–. ¿Cuándo me vas a ayudar con el gol?

–Si sigues así, nunca –contestó–. Además, mientras continúes en el banquillo no puedo hacer nada.

En eso tenía razón.

Siendo suplente, era totalmente imposible meter un gol.

Doblamos la esquina detrás de Felipe.

Allí estaban el resto de nuestros compañeros, alrededor de Alicia.

Preparándose para el segundo tiempo.

–Lo más importante es que no os dejéis intimidar por los rivales –decía la entrenadora en ese momento–. Vale que ellos son muy grandes...

–Y muy fuertes –añadió Tomeo.

–Y muy rápidos –murmuró Anita.

–Y muy guapos –dijo Angustias.

Como vio que todos le mirábamos, explicó lo que acababa de decir:

–¿Qué pasa? Los jugadores y las jugadoras del Black Bull son mucho más altos y más guapos que nosotros. Salta a la vista...

–Sobre todo ahora que vamos rapados –concedió Marilyn.

–Pues a mí me gusta este nuevo look –dijo Ocho.

–Bueno, no estamos aquí para hablar de peinados –retomó Alicia, y continuó con su discurso–. Lo que estaba diciendo es que ellos son muy grandes, vale, y muy fuertes, y muy rápidos... y puede que muy guapos... Pero nosotros somos un equipo. Un verdadero equipo. Quiero que salgáis al campo y demostréis que, en el fútbol, lo más importante es jugar en equipo. Pase lo que pase, no dejéis que os intimiden. ¿Estamos?

–Estamos.

–Sí, sí.

–Vale.

–Nadie nos intimida.

–Zomoz el Zoto Alto –dijo Camuñas, mostrando los dientes rotos.

La verdad es que no parecíamos un equipo muy peligroso.

Ni muy convencidos de lo que decíamos.

–¡Venga, equipo, a por ellos! –exclamó la entrenadora.

–Eso, ¡a por ellos! –repitió Felipe.

Sin mucho entusiasmo, repetimos:

–A por ellos.

Y nos dirigimos al campo.

Me acerqué a Alicia y le pregunté:

–¿Por quién voy a entrar en el segundo tiempo? ¿Por Anita? ¿Por Ocho?

Ella negó con la cabeza.

–De momento no vamos a hacer cambios –respondió–. Tus compañeros se están esforzando mucho, y no sería justo quitarlos ahora.

–Sí, claro. No sería justo.

Por lo visto, iba a seguir sin jugar... y sin marcar.

Que yo sepa, nadie ha metido ningún gol desde el banquillo.

Mis compañeros saltaron al terreno de juego, preparados para jugar la segunda parte.

–¡Venga, pelados! ¡Que no se diga! –gritó Ezequiel desde la grada.

El capitán de La Loma y otros jugadores nos aplaudieron al vernos aparecer.

No sé si nos estaban animando o más bien riéndose de nosotros.

Yo me senté en el banquillo.

El árbitro pitó y empezó la segunda parte.

Miré hacia la grada.

Allí estaban mi padre y Esteban, atentos al partido.

También el doctor Bianchi y Romero.

Los miembros del Xuan Jung no se perdían detalle.

Y todos los jugadores de La Loma, incluyendo a la Besuievsky, observaban el encuentro y hacían comentarios.

Un poco más abajo, en la fila más cercana al césped, me fijé en un espectador que estaba solo.

Viendo el partido apoyado en la barandilla.

Era un hombre regordete.

Con una nariz bastante grande.

Al principio me costó reconocerle sin el uniforme.

Pero enseguida me di cuenta de quién era: Jorge, el guardia de seguridad.

Solo que ahora no llevaba el uniforme. Iba con unos vaqueros y una camisa. Supongo que estaba en su tiempo de descanso; aún no había empezado su turno.

Recordé lo que me había contado: él también había sido jugador de La Loma.

Parecía un buen tipo. Estaba siguiendo el partido con mucho interés.

Espero que no tuviera problemas por nuestra culpa. En cuanto robásemos el obelisco, le devolveríamos las llaves.

De pronto, Jorge giró la cabeza.

Hacia mí.

Me miró directamente. Muy serio.

Tal vez sabía que yo era quien le había quitado el llavero.

Me dio un poco de miedo su mirada.

Me agaché todo lo que pude y le perdí de vista. Me escondí dentro del banquillo. Ya no podía verle. Aunque eso no significaba que él no pudiera verme a mí.

El partido continuó un buen rato sin goles.

Los del Black Bull seguían atacando en tromba, igual que en la primera parte.

Y nosotros defendíamos cada vez más atrás. Pegados a nuestra propia área.

Durante varios minutos, no pisamos ni una vez su campo.

Toni y Marilyn intentaron un par de incursiones, pero las cortaron de raíz con empujones tajantes.

El número 77 y sus compañeros disparaban contra nuestra portería desde todas partes. Desde fuera del área. Desde el interior. Desde un lateral.

En cuanto tenían la más mínima ocasión, zambombazo.

No dejaban pasar ni una.

Algunos tiros se iban fuera.

Y otros los despejaba Camuñas a duras penas.

Estaba claro que, tarde o temprano, caería un nuevo gol. Parecía inevitable. Nos tenían completamente dominados.

Entonces ocurrió.

Sucedió una cosa que lo cambió todo.

Uno de los jugadores más grandes de Black Bull, el número 72, se plantó frente al área.

Aprovechó un balón suelto.

Y empalmó un disparo impresionante.

El balón salió hacia nuestra portería.

Como un misil.

Todo el mundo en la grada se levantó.

Parecía un chut imparable.

Fuerte.

Colocado.

El disparo perfecto.

Pero Camuñas, en lugar de asustarse, gritó:

–¡Míaaaaaaaaaaaaaaaaa!

Pegó un salto enorme, con las manos muy estiradas.

Daba la sensación de que volaba a cámara lenta.

El balón siguió su rumbo hacia la escuadra.

Camuñas se estiró más y más y más...

Con tan mala suerte que...

¡El balón le impactó de nuevo en pleno rostro!

¡¡¡El tercer balonazo en la cara!!!

Y este había sido el más fuerte.

La pelota salió del campo.

¡Había salvado el gol!

–¡¡¡Paradón!!! –grité, saliendo del banquillo.

Camuñas cayó boca arriba al suelo.

Levantó una mano y, con el rostro hinchadísimo, visiblemente mareado, dijo:

–¡Cambio, pozzz favor!

Felipe y Alicia me miraron al mismo tiempo.

Había llegado mi turno.

–¡Anita, a la portería! –exclamó Alicia–. ¡Pakete, a la media punta! ¡En marcha!

Me preparé para saltar al terreno de juego.

Había llegado el momento que llevaba esperando desde el principio.

Me giré hacia la grada.

El guardia de seguridad había desaparecido. Ya no estaba allí.

Subí la vista unos metros.

Helena me sonrió.

Enseguida, Rosita se puso delante de ella y me saludó con la mano:

–¡Vamos, morocho! ¡Sos pelotudo!

Me di la vuelta.

Camuñas salió, ayudado por Felipe.

Anita se puso los guantes y se colocó bajo la portería.

Y yo...

Entré al campo.

Dispuesto a meter un gol como fuera.

18

Nada más pisar el campo, Angustias me pasó el balón.

–A mí no me lo devuelvas –dijo.

Y se dio la vuelta, regresando a nuestro campo.

–Pero... –traté de decir.

Marilyn me cortó.

–¡Cuidado, Pakete! –gritó.

En cuanto me vieron con el balón en los pies, los jugadores del Black Bull se lanzaron a por mí.

Me recibieron a su manera.

Uno de los defensas pegó un grito:

–Welcome, peladooooooooooo!

Otro me empujó con el hombro una vez, dos veces y... tres veces.

Como aguanté de pie, un tercer jugador me hizo una entrada por detrás...

¡Hasta que caí rodando al suelo!

El número 77 me pasó por encima y le pegó un patadón a la pelota.

No había estado mal para empezar.

Aunque había sido un desastre, mi padre gritó desde la banda:

–¡Bien jugado, Francisco!

–¡Eso, muy bien hecho! –repitió Esteban.

Los dos me aplaudieron, tratando de animarme.

Yo me puse en pie y miré al árbitro, que me hizo un gesto para que siguiera jugando y no protestara.

Nos estaban pegando una paliza de las que hacen época.

Solo era cuestión de tiempo que metieran otro gol.

En la grada, aparte de mi padre y Esteban, al resto de espectadores parecía darles igual quién ganara el partido.

Los jugadores de La Loma, con Ezequiel a la cabeza, empezaron a entonar un estribillo:

> Mirá cómo corren,
> mirá cómo huyen
> esos gallegos
> como borregos.

Lo repitieron varias veces, demostrando lo bien que cantaban.

–¡Unos nos aplastan y otros se ríen de nosotros! –protestó Toni.

–¡Vamos, equipo, a por ellos! –gritó Alicia desde el banquillo.

Aunque más bien eran los Black Bull los que venían a por nosotros.

Cada vez que atacaban, era como una estampida que se nos venía encima.

Se quitaban de en medio cualquier jugador que les estorbara y seguían adelante.

Nosotros intentábamos cortarles el paso.

Cada minuto que pasaba era más difícil.

El árbitro solo pitaba algunas faltas.

Yo creo que incluso él se estaba cansando de que una y otra vez levantásemos las manos para protestar.

–¡El fútbol es un deporte de contacto, pibes! –exclamó el árbitro, harto–. ¡Dejen de protestar y jueguen de una vez!

Anita hizo algunas paradas.

Los demás nos convertimos todos en defensas.

Ni siquiera se nos pasaba por la cabeza intentar un ataque.

Era imposible.

Nos tenían completamente acorralados.

Felipe y Alicia dejaron de dar instrucciones. Supongo que ya no sabían qué más decir. Parecíamos un equipo de balonmano, encerrados en nuestra área. Incapaces de atacar ni una vez.

En el campo solo se oían los gritos de nuestros rivales:

–Black Buuuuuuuuuuuuuuuull!!!

Y los cánticos de La Loma:

> Mirá cómo corren,
> mirá cómo huyen
> esos gallegos
> como borregos.

Por si fuera poco, Toni se acercó a mí y, sin decir nada, señaló la grada.

Los dos nos fijamos en lo mismo.

Helena y Ezequiel... ¡estaban de nuevo agarrados de la mano!

–Como el argentino se me adelante con Helena, se acabó el trato –me dijo.

Miré a Toni.

¿Qué se había creído?

¿A mí qué me importaba que Ezequiel se le adelantara o no?

¡Ya estaba harto!

Harto de que me empujaran.

De que se rieran de mí.

Y, sobre todo, harto de que me dijeran lo que tenía que hacer.

Me giré y vi que Anita estaba a punto de sacar de portería. Preparada para dar un patadón y alejar la pelota todo lo que pudiera.

Sin embargo, di un paso adelante y levanté la mano.

–¡A mí!

Anita y los demás me miraron sorprendidos.

Nadie quería que le pasaran la pelota.

Ya sabíamos lo que ocurría cada vez que alguno de nosotros recibía el balón: que uno o dos jugadores del Black Bull te caían encima.

Pero a mí me daba exactamente igual.

–¡Pasa! –insistí, corriendo por la banda.

Anita me vio tan convencido que me hizo caso.

La pelota voló y me llegó limpia a los pies, a la primera.

La controlé y, a continuación, hice lo que tenía que haber hecho desde el primer momento.

Jugar al fútbol.

–¡Vamos! –grité.

Al verme correr con la pelota hacia el campo del Black Bull, mis compañeros también empezaron a correr.

Bueno, al menos algunos.

O, mejor dicho, uno.

–¡No voy a dejar que seas el héroe tú solo! –exclamó Toni.

Y también echó a correr.

Tomeo, Angustias, Ocho y Marilyn se quedaron atrás.

–¡Nosotros nos quedamos vigilando la retaguardia por si acaso! –gritó la capitana.

–Eso, vigilando –dijo Tomeo–. Pero vosotros corred...

Al principio, los jugadores del Black Bull también se extrañaron al verme avanzar tan decidido.

Llegué hasta el medio campo con el balón controlado, sin oposición.

Ahí me salió al paso la defensa alta y delgada.

Se tiró a por mí, pero en lugar de asustarme al verla... le pasé el balón a Toni.

Y crucé corriendo al lado de la jugadora, que no se lo esperaba, dejándola atrás.

El número 77 se fue a por Toni, dispuesto a llevárselo por delante, como había hecho el resto del partido.

Pero Toni hizo lo mismo que yo.

¡Me devolvió el balón al primer toque!

¡Y siguió corriendo!

Estábamos haciendo una pared casi perfecta.

Cruzando su campo sin que pudieran detenernos.

Era la primera jugada en equipo de todo el partido.

De nuevo, en cuanto me llegó el balón, en lugar de tratar de controlarlo... lo pasé en diagonal hacia Toni.

Ahora el número 72 se tiró a por mí en plancha, con ambos pies por delante.

Pero yo ya había soltado el balón.

Salté por encima y seguí adelante.

Estábamos a un paso de llegar al área.

El número 80 cargó con el hombro sobre Toni, tratando de impedir que recibiera la pelota. Sin embargo, mi compañero no estaba dispuesto a rendirse.

Toni era muy rápido.

Muchísimo.

Metió el pie y empujó el balón con el empeine.

Un segundo después, el defensa le pegó un tremendo empujón con el hombro y casi le sacó del campo. Pero no le sirvió de nada.

¡Toni ya me había pasado el balón!

Era el pase definitivo.

La pelota entró en el área.

Yo corrí libre de marca para rematar.

Habíamos dejado atrás a todos los defensas.

Podía hacerlo.

Podía conseguirlo.

Marcar un gol de los que todo el mundo recuerda.

Preparé el pie para rematar.

Y cuando estaba a punto de hacerlo...

¡CATACLANC!

¡Alguien muy grande me cayó encima!

Habíamos dejado atrás a los defensas...

¡Pero no al portero!

Con el número 101, el enorme portero de Black Bull pegó un salto descomunal y cayó de golpe sobre mí.

Debía pesar dos o tres veces más que yo.

Lo único que sentí fue como si un enorme saco de cemento me aplastara.

Tal vez aquel chico podía haber intentado despejar el balón.

O atraparlo con las manos.

Pero en lugar de eso... decidió aplastarme.

Era el estilo Black Bull.

Tardó unos segundos en levantarse.

Yo me asomé debajo de él, completamente magullado.

–¿Estás bien? –me preguntó el árbitro.

–Me duele todo –respondí.

Escuché los gritos y las protestas de unos y otros.

–¡Penalti! ¡Ha sido penalti de libro! –gritó Alicia, que había entrado en el campo.

–¡Yo no falta! –se defendió el portero.

–¡Tiempo cumplido, fin de partido...! The match is over! –exclamó el número 77 señalando el marcador–. No penalty!

Todos empezaron a rodear al árbitro y a protestar.

Desde la grada también gritaban.

Al fin, el árbitro hizo sonar el silbato y pidió a todos que se callaran.

–¡El próximo que hable, tarjeta roja y expulsado! –advirtió.

Todos nos quedamos en silencio.

–No quiero ni una protesta más, se lo aviso a todos –continuó muy serio–. Mi decisión es irrevocable: falta dentro del área... ¡Penalti!

¡Toma ya!

¡Penalti!

Los jugadores del Black Bull comenzaron a protestar en tromba, pero el árbitro se echó la mano al bolsillo donde llevaba las tarjetas, y terminaron por callarse.

Yo cogí el balón y lo coloqué sobre el punto de penalti.

Si marcábamos, ganaríamos.

Si no, habría que ir a la prórroga.

Era el lanzamiento clave del partido.

Que yo recuerde, siempre he sido el encargado de tirar los penaltis en el Soto Alto.

Por lo menos, hasta ahora.

Alicia y Felipe se acercaron a Toni. Parecían estar hablando de algo muy importante.

¿Qué estaba ocurriendo?

No quería ni pensarlo.

Me temía lo peor.

¿Los entrenadores querrían que Toni lanzase el penalti?

¡No, por favor!

Que no fuera eso.

Después de unos segundos, los tres se giraron hacia mí.

–Escucha, Pakete, casi no hay tiempo –dijo Felipe–. Teniendo en cuenta la mala racha que llevas, hemos pensado que lo mejor es que lo tire Toni...

¡Aquello era injusto!

Yo siempre tiraba los penaltis.

Aunque ahora llevara una mala racha, no podían quitarme el puesto.

Y menos en un momento así.

No sabía qué decir.

–Sin embargo, resulta que... Toni no quiere tirar el penalti –añadió Alicia–. Dice que mejor lo tires tú.

¿¡Qué!?

¡Eso sí que no me lo esperaba!

¿¡Toni me cedía el lanzamiento!?

–Todo tuyo –dijo Toni señalando el balón–. Por el Río de la Plata.

Miré a mi compañero.

Él asintió.

–Más vale que lo metas –añadió.

No había más qué decir.

Me acerqué al punto de penalti.

Miré el balón.

Y me preparé para chutar.

MINUTO 30 DE LA SEGUNDA PARTE.
SOTO ALTO, 1 - BLACK BULL, 1.
EN CUANTO LANCE EL PENALTI,
SE ACABA EL PARTIDO.
NO HAY TIEMPO PARA MÁS.

SOTO ALTO

BLACK BULL

TODOS LOS ESPECTADORES
ESTÁN DE PIE,
OBSERVÁNDOME
SIN PESTAÑEAR.
EN EL CAMPO DE FÚTBOL
DE LA LOMA NO SE OYE NADA,
HAY UN SILENCIO ABSOLUTO.

SI METO EL PENALTI,
PASAMOS A LA FINAL.
Y LO QUE ES MÁS
IMPORTANTE: SE ACABA
MI SEQUÍA DE GOLES.
TRES MESES SIN MARCAR
ES DEMASIADO.

PIIIIIIIIIIIIIIIIIIIIII

CRUZO UNA ÚLTIMA MIRADA
A LO LEJOS CON HELENA.

ME DISPONGO
A GOLPEAR EL BALÓN.

TENGO QUE LANZAR
Y, SOBRE TODO,
TENGO QUE METER
EL BALÓN
EN LA PORTERÍA.

EL PORTERO DEL BLACK BULL
INTENTA DESPISTARME.

PIENSO:
«¡VOY A HACER
LO MISMO
QUE ELLOS!
¡UN GRITO
Y UN PELOTAZO!».

¡¡FUTBOLÍSIMOS!!

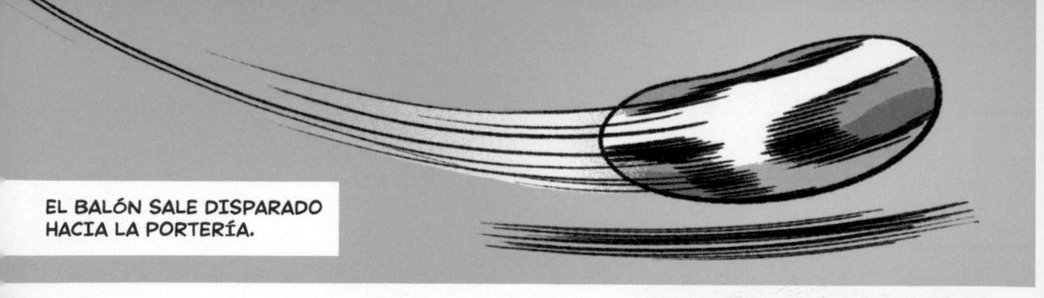
EL BALÓN SALE DISPARADO
HACIA LA PORTERÍA.

REBASA AL PORTERO Y...

PUM

NO PUEDE SER.

¡HE FALLADO!

ME QUEDO
CONGELADO,
SIN SABER CÓMO
REACCIONAR.

VARIOS JUGADORES
SALEN CORRIENDO A POR EL REBOTE.
HAY UNO QUE ES MÁS RÁPIDO
QUE EL RESTO... ¡TONI!

LLEGA HASTA EL BALÓN...
¡Y REMATA CON UN TREMENDO
PUNTERAZO!

EL PORTERO NO TIENE
TIEMPO DE REACCIONAR.
EL BALÓN SURCA EL ÁREA
A TODA VELOCIDAD...
¡Y ENTRA EN LA PORTERÍA
PEGADO AL POSTE!
¡¡¡GOOOOOOOL
DEL SOTO ALTO!!!
¡¡¡GOLAZO DE TONI!!!

–¿Pero a quién se le ocurre cortarse el pelo al cero?

–No es al cero; es al uno, mamá –respondí.

Mi madre me miraba desde la pantalla del ordenador como si no pudiera creerse lo que estaba viendo.

–Ayyyyyyyy, Francisco, si es que no te puedo dejar solo –exclamó.

–Mujer, no está solo; está conmigo –dijo mi padre, que se encontraba a mi lado.

Estábamos hablando por Skype con España desde el vestíbulo de la residencia.

–Pues eso –insistió mi madre–, lo que estaba diciendo: que no le puedo dejar solo. Por lo menos habéis ganado el primer partido...

–¡En el último segundo y de penalti! Ha sido... Bueno, bueno, bueno... ¡Ha sido...! –intervino de nuevo mi padre, que casi no me dejaba ni hablar–. ¡Es que, de verdad, tenías que haberlo visto! ¡Ha sido...!

–¿Ha sido qué? –preguntó mi madre–. Termina las frases, Emilio, por favor te lo pido, que me pones nerviosa.

–Pues ha sido... la bomba –dijo él–. Francisco, cuéntaselo tú.

–Lo importante es que hemos ganado y... –empecé a decir.

Pero mi padre enseguida me cortó otra vez:

–¡Francisco ha fallado el penalti decisivo! Menos mal que Toni lo ha arreglado. Ese chico es un portento.

–Pero, cariño, ¿sigues sin marcar? –me preguntó mi madre, alarmada–. ¿En Argentina tampoco?

–Si es que he jugado muy poco... He estado casi todo el partido en el banquillo –traté de explicar.

–Y menos que vas a jugar si sigues así –dijo mi padre.

–¡Emilio, no hables así al niño! –le regañó mi madre.

–¡Si no lo digo yo! Lo dicen los entrenadores –se justificó–. Y, por cierto, ¿qué es eso que has gritado cuando has tirado el penalti? Era algo así como «Futbolismos»...

–No significa nada –respondí rápidamente–. Es lo primero que me ha venido a la cabeza, no sé por qué lo he dicho.

–A ver, Francisco: te rapas el pelo, fallas penaltis, gritas cosas sin sentido... Ayyyyyyyy... –exclamó mi madre–. ¡Dime por lo menos que estás comiendo verdura!

–¿Las patatas fritas son verdura? –pregunté.

–¡El enano se ha rapado! ¡Ja, ja, ja, ja, ja, ja! –exclamó Víctor, que apareció en la pantalla junto a mi madre–. ¡Menudo cocoliso que estás hecho!

Víctor es mi hermano mayor. Tiene quince años y siempre se mete conmigo por cualquier razón.

Normalmente, me suelta alguna colleja cuando me ve.

Por suerte, todavía no se han inventado las collejas por Skype.

–¡Víctor, no te rías de tu hermano! –le dijo mi madre–. Que bastante tiene el pobre con lo que tiene... Mira qué pinta... y qué carita de... de... haber fallado un penalti... y de no comer verdura... Tienes que espabilar, Francisco... Solo sois ocho en el equipo... Y juegan siete. Y Anita es portera. ¡Por el amor de Dios! Si en esas condiciones chupas banquillo, es que... vamos... es lo último ya...

–Yo me esfuerzo –dije.

–Emilio, habla tú con Alicia y Felipe –dijo ella–. El niño tiene que salir de titular en la final. Ni se les ocurra dejarle de suplente.

–Pero, Juana, ¿cómo le voy a decir yo a los entrenadores lo que tienen que hacer? –preguntó mi padre, desesperado.

–Pues diciéndoselo –soltó mi madre–. ¿No eres el policía del pueblo?

–Eso no tiene nada que ver, me parece a mí –protestó.

–¡Tiene mucho que ver! –zanjó ella–. Que tengo que resolverlo todo yo desde aquí. Qué cruz, de verdad. ¡Y qué error tan grande haber dejado a Francisco ir solo a Buenos Aires!

–¡Te repito que el niño no está solo! –dijo mi padre.

–¡Ya, ya, pues demuéstralo! –le replicó mi madre–. Haz algo, que se note que estás ahí... Mira todo lo que está pasando...

–¿Pero qué está pasando, Juana? –preguntó mi padre–. Si no ocurre nada grave.

–¡Eso lo dirás tú! –siguió ella–. Tu hijo pequeño se rapa el pelo, lleva no sé cuántos meses sin marcar gol, falla penaltis, grita cosas sin sentido, no come verdura... ¿Y a ti todo eso te parece normal?

–Pero, mujer, si te lo acaba de decir él mismo: que ha comido un montón de patatas fritas, que son muy buenas y tienen mucha vitamina C también, creo... Y empanada argentina también... –dijo mi padre–. Lo único que pasa es que está en la edad, que está cambiando, y eso se nota. A lo mejor está un poco más torpe con el balón, ¿verdad, Francisco?

–Yo no creo que eso... –traté de decir.

–¡Pamplinas! –zanjó mi madre.

Cuando mi madre dice «pamplinas», quiere decir que se acabó el tema.

–Juana, no te enfades, por favor, que el niño y yo te echamos mucho de menos –dijo mi padre cambiando de tono.

–No seas zalamero, que nos conocemos –dijo ella–. Al final me veo que tengo que coger un avión y plantarme allí en un pispás.

–¿Vamos a ir a Buenos Aires? –preguntó Víctor–. Yo no puedo, que tengo examen el lunes.

–Tú irás adonde se te diga –le soltó mi padre–, que nunca estudias y ahora resulta que no quieres venir a Argentina porque tienes un examen, qué casualidad.

–¿Pero entonces vais a venir? –pregunté yo sin entender nada.

–Ya veremos, ya veremos –dijo mi madre–. Tú céntrate, que te quiero ver en forma en la final. ¡Ya está bien de excusas!

–Sí, mamá.

Mi madre se levantó de la silla y se acercó a la pantalla.

–Francisco, te lo digo muy en serio: ¡espabila...! ¡Y mete un gol de una vez, por lo que más quieras! ¡Por el equipo, por tu familia, por el Atleti!

–Yo lo intento, mamá.

–Si es que te quiero mucho, hijo, y sufro cuando te veo ahí como un pasmarote... y con la cabeza rapada... ¡Ayyyyyy, qué pena me da todo!

–¡Juana, no te pongas así, tan emotiva, que se me sale el corazón del pecho! –dijo mi padre, levantándose también.

Vaya dos.

Hace un momento estaban discutiendo, y ahora parecía que no podían vivir el uno sin el otro.

–¡Ayyyyyyy, Emilio, qué lejos estáis!

–¡Diez mil kilómetros, que se dice pronto!

Viendo el panorama, Víctor y yo nos apartamos.

Mis padres habían puesto sus manos sobre la pantalla como si pudieran tocarse, pero en realidad lo único que conseguían era que no se viera nada.

–¡Emilio! ¿Sigues ahí? –preguntó mi madre.

–¡Aquí estoy, Juana! ¡Que te quiero mucho! –respondió él.

–¡Y yo más!

–¡Tienes razón: sin ti, el niño y yo estamos perdidos!

–¡Eso ya lo sé yo! Sois un par de inútiles. ¡Ayyyyyy, cómo os quiero!

–¡Y yo, y yo!

–No hace falta que gritéis –dije–, si se oye igual...

Pero ya no me escucharon.

Estaban lanzados.

–¡Juanita de mi vida!

–¡Emilio, amor mío!

Parecía que iban a darse un beso a través de la pantalla.

Puaajjjjjj...

Aquello era demasiado.

Los dejé a lo suyo y me alejé de allí.

Supongo que Víctor había hecho igual y se había largado a su habitación.

Desde luego, prefiero que mis padres se lleven bien a que discutan.

Pero cuando se ponen empalagosos, no hay quien los aguante.

Crucé el vestíbulo y, aun así, pude oírles a lo lejos.

–¡Mi pichurrina!

–¡Mi agente de la ley!

Cuando empezaban así, podían tirarse todo el día diciendo tonterías.

Pero yo ahora tenía otra cosa en que pensar.

Miré mi reloj.

Había llegado la hora de la verdad.

Me acerqué a un ventanal.

Desde allí pude ver el campo de fútbol, lleno hasta los topes.

El partido de La Loma estaba a punto de empezar.

Las gradas estaban repletas de espectadores.

Gritando, aplaudiendo, coreando al equipo.

Todo el mundo estaba en el campo.

O, mejor dicho, casi todos.

Fui hasta la puerta principal.

Detrás de una columna, me encontré a Toni.

Estaba esperándome.

Me miró muy serio.

–Los demás están en el campo, vigilando –dijo Toni mostrándome el llavero.

–Perfecto –dije–. En marcha.

Los dos juntos atravesamos la residencia con paso firme.

Bajamos las escaleras.

A medida que nos alejábamos del vestíbulo, cada vez se oían menos ruidos.

Aquellas galerías estaban completamente desiertas.

Cruzamos una puerta y enfilamos un pasillo oscuro.

Teníamos una misión importante.

Por primera vez, los Futbolísimos íbamos a convertirnos en ladrones.

Por una buena causa.

Estábamos preparados.

Decididos.

Nada ni nadie nos lo impediría.

Entonces, al doblar la esquina...

Una voz surgió de la nada:

–¡Solo una oportunidad!

Pegamos un grito del susto.

–¡Aaaaaaaaaaaaaaaaaah!

–¿¡Pero quién...!?

Delante de nosotros apareció la última persona que nos podíamos imaginar.

¿La Besuievsky?

¿El doctor Bianchi?

¿Su ayudante?

¿Esteban?

¿El guardia de seguridad?

Nada de eso.

Entre las sombras surgió una figura menuda y siniestra.

Alguien que abrió la boca y repitió susurrando:

–Solo una oportunidad.

Se acercó a la luz y pudimos verle.

Exacto.

Era...

El Maestro Sosa.

21

El hombre alargó su mano y la puso sobre mi cabeza.

Yo no me atrevía a moverme.

Me miró con sus enormes ojos.

–Algo importante has perdido tú –dijo.

–Yo... Bueno, yo...

No sabía de qué estaba hablando.

–¿Perdido qué has? –insistió.

–Hummmmmm... Pues ahora mismo no caigo –respondí.

–¡El pelo! –exclamó Toni–. Lo que ha perdido este es el pelo. Igual que yo.

–Tch, tch, tch –negó el Maestro Sosa–. Algo importante. Yo perdido magia. Y tú...

–Pues...

A ver...

¿Qué había perdido últimamente?

–No pienses –dijo el maestro–. Primera cosa que venga.

Cerré los ojos.

Y traté de no pensar en nada.

Que es una de las cosas más difíciles que hay.

Noté su mano sobre la cabeza.

Y de pronto me vino una imagen: ¡un balón!

¡Eso es!

–¡Los goles! –dije, abriendo de nuevo los ojos–. Hace tres meses que no meto un gol.

Él retiró su mano y asintió.

–Un gol magia puede ser –murmuró el Maestro Sosa.

Entonces entendí a qué se refería.

Aquel hombre tan mayor y yo teníamos algo en común: habíamos perdido una de las cosas que más queríamos.

Él, su magia.

Y yo, los goles.

–¿Cómo puedo recuperar los goles? –pregunté esperanzado.

Si de verdad era un gran mago, a lo mejor tenía la solución.

Pero retrocedió contrariado.

–Yo antes respuestas tenía –dijo–. Pero mi magia perdí mucho tiempo hace.

Pareció murmurar algo en voz baja y añadió:

–Solo una oportunidad tendrás.

–¿Para meter un gol? –pregunté nervioso.

Cerró los ojos y murmuró:

–La magia recuperas, un gol metes, solo una oportunidad.

Ahora sí que no entendía nada. Estaba a punto de volver a preguntarle qué quería decir, pero Toni parecía impaciente.

–Perdone, señor Sosa –intervino mi amigo–. Todo esto es muy interesante, pero tenemos que robar el obelisco.

El maestro dio un brinco y se acercó mucho a Toni.

–Obelisco no es de nadie –dijo muy serio–, igual que magia.

–Ya, ya –se defendió Toni–, pero el que lo tenga el domingo a medianoche podrá pedir un deseo.

El maestro se encogió de hombros y suspiró profundamente.

Después se giró hacia mí.

Y me preguntó:

–¿En la magia tú crees?

La pregunta me pilló por sorpresa.

No sabía muy bien qué responder.

–Yo... Sí, sí, claro –dije.

–¿Seguro estás? –volvió a preguntar.

–A veces tengo dudas... Pero vamos, que sí, creo en la magia.

El maestro no parecía muy convencido con mi respuesta.

–Recuerda –dijo–: una oportunidad solo tendrás.

Se dio la vuelta y empezó a caminar por el pasillo.

Inmediatamente, fuimos detrás de él.

–Señor Sosa, yo sí que creo en la magia –dijo Toni–. ¿Yo también tendré una oportunidad?

–Bah, muy viejo estoy, respuestas no tengo –contestó sin detenerse.

–Otra cosa –continuó mi compañero–. ¿Por qué habla usted así de raro?

–Preguntas demasiadas –dijo.

–Pero es que... –intentó decir Toni.

El Maestro Sosa lanzó una especie de gruñido:

–¡Grrrrrrrrrrrrrr!

Y aceleró el paso, sin decir nada más.

Toni y yo le seguimos, intentando que no nos dejara atrás.

Atravesamos un largo pasillo.

Y luego, otro.

Y otro más.

Mientras avanzábamos, a lo lejos se oían murmullos y gritos y también aplausos. Debían venir del campo de fútbol. Parecía un gol, pero era imposible saber con seguridad qué estaba ocurriendo en el partido.

Un momento después, por fin nos encontramos frente a nuestro objetivo.

La sala de trofeos.

Toni sacó rápidamente el llavero.

–Hay cuarenta y seis llaves y no sabemos cuál es la buena –dijo Toni–. Tendremos que probar hasta que una abra.

–Solo una oportunidad –advirtió el Maestro Sosa.

–¿Cómo que solo una oportunidad? –dijo Toni sin comprender–. ¿Por qué?

–¿Hay que acertar a la primera para que se cumpla algún conjuro? –pregunté–. ¿Es por la magia?

–¿Qué magia? –respondió el maestro–. ¡Por alarma es!

Y señaló un cable que salía del cajetín de la puerta.

¿¡Eh!?

¡Resulta que aquel cerrojo estaba conectado a una alarma!

–Si metes llave equivocada, alarma salta –dijo–. Y policía viene.

Toni y yo nos miramos asustados.

–¿Una alarma?

–¿La policía?

–Vosotros niños muy valientes –contestó–. Acertar a la primera, yo seguro estoy.

–¿Y si nos equivocamos de llave? –pregunté.

Se rascó la barbilla.

–Entonces policía detiene y preguntas a vosotros hace.

–Ah, qué bien.

El Maestro Sosa nos hizo un gesto con la mano y se alejó de allí.

–¿Adónde va, Maestro? –dije–. ¿A pedir ayuda?

–Yo a esconder voy –respondió–. ¡Recuerda: solo una oportunidad!

Sin más, echó a correr.

Antes de que pudiéramos reaccionar, dobló la esquina y desapareció de nuestra vista.

¡No me lo podía creer!

¡Había salido huyendo!

–¡Pero si todo esto lo hacemos por él! –protestó Toni.

–A lo mejor es una prueba para que lo resolvamos por nosotros mismos –sugerí–, y aprendamos algo importante.

–Ya, o para que no le pille la policía si salta la alarma.

Aquello no pintaba bien.

No sabíamos nada de la alarma.

Si nos equivocábamos de llave, lo cual era lo más probable, podíamos meternos en un buen lío.

Y, por si fuera poco, todo lo hacíamos para devolverle el obelisco al mismo hombre que nos acababa de dejar plantados.

–¿Qué hacemos? –preguntó Toni.

Miré la cerradura delante de nosotros.

–Ya que hemos llegado hasta aquí –dije–, podríamos intentarlo.

–Mira, el señor Sosa te ha preguntado a ti si crees en la magia y te ha dicho varias veces todo ese rollo de una sola oportunidad –soltó mi compañero–. Yo creo que está claro que eres tú el que debe abrir la puerta.

–Pero... –intenté decir.

–Buena suerte –dijo, cortándome.

Me dio el llavero.

Y él también echó a correr.

–¡Yo no estoy huyendo! –exclamó mientras se alejaba–. ¡Voy a... vigilar por si acaso!

No sé cómo había ocurrido, pero, casi sin darme cuenta, me quedé allí solo.

Con 46 llaves en la mano.

Y una cerradura conectada a una alarma.

Pufffffffff...

No sé lo que habría hecho otro en mi lugar.

Pero yo me acerqué a la puerta.

Y traté de abrirla.

Nunca se me han dado muy bien las matemáticas.

Pero todo el mundo sabe que si tienes en la mano 46 llaves y solo una abre la puerta...

¡Eso significa que hay muy pocas probabilidades de acertar!

Claro que, bien pensado, a lo mejor no se trataba de elegir una llave al azar.

Quizá podía concentrarme mucho y dejar la mente en blanco, como había hecho antes.

Miré el llavero atentamente.

Había llaves muy distintas entre sí.

Las había redondas, cuadradas, alargadas, cortas, anchas, estrechas, algunas más antiguas y otras modernas; incluso las había de distintos colores: azules, verdes o doradas.

¿Cómo podía elegir una?

Me fijé en la cerradura.

Y fui revisando las llaves.

Era muy difícil elegir.

A primera vista, podían encajar muchas.

Además, había muy poca luz.

Debía tomar una decisión.

No podía quedarme allí todo el día. Podían descubrirme en cualquier momento.

Se escuchó un grito lejano de la multitud.

Venía del campo de fútbol.

Tal vez alguien había marcado gol.

Puede incluso que fuera Helena.

Mientras yo estaba intentando robar el obelisco, Helena estaba jugando un partido con otro equipo.

Cuanto más lo pensaba, menos me gustaba aquella situación.

Lo más prudente sería que me olvidara de todo y me fuera de allí.

Entonces oí un ruido al fondo del pasillo.

–¿Hay alguien ahí? –pregunté–. ¿Toni?

Nadie contestó.

Miré hacia el fondo, pero no se veía nada.

–¿Maestro Sosa? –volví a preguntar.

No hubo respuesta.

A lo mejor había sido imaginación mía.

Me estaba poniendo un poco nervioso.

No sabía qué hacer.

Miré a través del ventanuco de la puerta. Allí estaba el obelisco, a un par de metros. Solo tenía que abrir la puerta y cogerlo.

Repasé de nuevo las llaves.

¿Cuál sería?

Recordé las palabras del Maestro Sosa: «No pienses».

Vale.

Podía conseguirlo.

Traté de dejar la mente en blanco.

Y pasé los dedos por las llaves.

Lentamente.

Intentando descubrir cuál era.

Podía sentir el frío del metal. El tacto de cada una de aquellas llaves.

Venga, ¿cuál es?

Estaba a punto.

Y entonces...

¡Otro ruido en el pasillo me sobresaltó!

Del susto, el llavero se me cayó al suelo.

Miré hacia el lugar del que provenía el ruido, pero nada. Solo oscuridad.

Después me agaché a recoger el llavero.

Había ocurrido algo muy extraño.

A causa del golpe, una llave se había desprendido del resto.

Enfoqué con la linterna del móvil hacia la llave que había quedado suelta.

Era de color dorado.

Parecía corresponder a una puerta blindada, como la de la sala de trofeos.

No podía ser casualidad.

Estaba claro: ¡aquello era una señal!

Tal vez era la magia de la que hablaba el maestro.

Agarré la llave dorada con la mano derecha.

Me incorporé.

Y me coloqué justo delante de la cerradura.

Miré una vez más el cable que conectaba la alarma.

Alargué la mano y acerqué la llave a la puerta.

Había llegado el momento.

Tenía que hacerlo.

Estaba a punto de introducir la llave en la puerta cuando, de pronto...

–¡Que no es esa llave, pibe!

Me giré.

Por el pasillo apareció alguien corriendo.

Era... ¡Jorge!

El guardia de seguridad.

Venía directo hacia mí.

¡Me había descubierto!

Levanté las manos y exclamé:

–¡Perdón, yo no quería robar las llaves ni el obelisco ni nada! ¡Lo hago por una buena causa!

–No me contés historias. Los dos sabemos perfectamente qué hacés aquí –dijo–. Anda, apartá.

Llegó a mi lado y cogió el llavero del suelo.

No entendía nada.

¿El guardia había venido a detenerme, o no?

Jorge buscó entre las llaves y agarró una de color plateado.

–Hay que fijarse un poco, pibe –dijo mostrándome el canto de la llave–. Mirá, ¿qué pone aquí?

–Es una inscripción muy pequeña –me disculpé–. No lo veo muy bien.

–Pone «SDT».

Era verdad: si lo mirabas detenidamente, se podía leer «SDT».

–Ya, bueno –dije–. ¿Y eso qué significa?

–Ayyyyy, Dios mío, estos gallegos son muy poco espabilados –murmuró–. Significa «Sala De Trofeos»: SDT. Está clarísimo.

–Ahora que lo dices...

Jorge movió la cabeza, desesperado.

–Si es que lo tengo que hacer yo todo –dijo.

Introdujo la llave en la cerradura.

La giró.

Y la puerta... se abrió.

Así de fácil.

Tanta historia y, en realidad, había una inscripción en la propia llave.

Jorge entró a toda prisa en la sala.

–¿Qué haces? –pregunté.

Pero él no contestó.

Se acercó a la vitrina y agarró el obelisco con ambas manos.

Lo dejó con mucho cuidado en el suelo. Y a continuación abrió la cremallera de una bolsa de deportes que llevaba a la espalda.

–¿Estás robando el obelisco? –pregunté, sin poder creer lo que estaba viendo.

–¿A vos qué te parece? –dijo él.

–¿Se lo vas a dar al Maestro Sosa?

–Sí, seguro que se lo doy al viejo. Ja, ja, ja, ja, ja –respondió.

Se rio como si yo hubiera dicho una tontería muy grande.

¡Estaba robando el obelisco!

¡Delante de mis narices!

Tenía que pedir ayuda.

Saqué mi móvil a toda prisa.

No sabía muy bien qué hacer ni qué decir.

Pensé en escribir algo en el grupo de los Futbolísimos.

También se me pasó por la cabeza llamar a mi padre.

Lo cual era absurdo.

Si lo hacía, me metería en un lío.

Puffffffff...

–Tomá –me dijo.

Levanté la vista.

Jorge estaba delante de mí.

Ya había salido de la sala.

La bolsa de deportes cerrada colgaba de su hombro derecho.

Me dio el llavero.

Lo cogí sin saber para qué.

–¿Qué quieres que haga con esto? –pregunté.

–Hacé lo que mejor os parezca –contestó–. Todo el mundo pensará que fuiste vos el ladrón. Lo siento mucho, pibe.

–¿Yo? –pregunté.

–Vos me robaste las llaves –dijo, como si fuera obvio–. Y tus huellas están por todas partes.

En ese momento me fijé en que llevaba puestos unos guantes.

Me arrepentí de no haber hecho caso a Camuñas con lo de su equipo de investigador.

–Pero... esto es injusto –protesté.

–Estoy de acuerdo: la vida es injusta –dijo él–. Yo nunca gané el obelisco como jugador. Pero ahora es mío. Buena suerte.

Y echó a correr.

–Oye, no te vayas... ¡Jorge, no me dejes así! ¡Jorge, vuelve! –le grité.

Pero ni siquiera sé si me escuchó.

Se fue corriendo a toda velocidad.

Por lo que se ve, aquel día todo el mundo tenía mucha prisa por alejarse de mí.

Desapareció entre la oscuridad del pasillo.

Sus pasos se oían cada vez más lejos.

Una vez más, me quedé solo.

La cosa iba de mal en peor.

Nada salía como estaba previsto.

¿¡Qué hacer!?

Solté las llaves... ¡y yo también eché a correr!

Todo lo deprisa que pude.

Crucé los pasillos en dirección al campo de fútbol.

No sabía muy bien qué pasaría cuando descubrieran el robo, pero seguramente nada bueno.

Si me echaban la culpa a mí, contaría lo que había pasado con Jorge. Aunque tal vez no me creerían.

Sería mi palabra contra la del guardia de seguridad.

Y no había ningún testigo.

Seguí corriendo sin parar.

Atravesé el vestíbulo y por fin salí afuera.

En menos de un minuto, llegué corriendo al campo.

Me apoyé en una valla.

Respiré hondo, tratando de recuperar el resuello.

Los espectadores en la grada aplaudían y vitoreaban al equipo local.

Todos parecían pasarlo en grande.

Miré el marcador:

La Loma, 7 - Xuan Jung, 1.

Estaba siendo una paliza de campeonato.

La Besuievsky estaba fuera del banquillo, al borde del campo, con los brazos levantados. Aunque no había terminado el partido, ya celebraba el triunfo, animando a los suyos.

Pude ver a Helena y a Rosita en el terreno de juego, corriendo junto a sus compañeros.

Parecían muy contentas.

–¿Qué ha pasado? –me preguntó una voz.

Al darme la vuelta, vi a Toni.

Junto a él, también llegó Camuñas.

Y los demás: Tomeo, Anita, Ocho, Angustias y Marilyn.

Mis compañeros me miraron.

–¿Lo hazz robado? –preguntó Camuñas mostrando sus dientes rotos.

Me encogí de hombros.

–No lo sé.

23

El árbitro pitó el final del partido.

El campo estalló en una gran ovación.

Los espectadores estaban entusiasmados, aplaudiendo y gritando.

–¡Bravo!

–¡Así se juega!

–¡Lomaaaa! ¡Lomaaaa! ¡Lomaaaa!

Los jugadores y la entrenadora saludaron desde el campo.

Había sido una victoria contundente.

Helena sonreía junto a sus compañeros.

Nosotros estábamos debajo de la grada, contemplando todo.

Empezó a sonar una música por los altavoces de megafonía, y dos hombres con traje y corbata entraron caminando al terreno de juego.

El doctor Bianchi.

Y el ayudante Romero.

Llegaron hasta el centro del campo y un operario colocó allí mismo un micrófono de pie.

El ayudante tosió y se acercó al micrófono.

Con su enorme vozarrón dijo:

–Lo primero, queremos felicitar al combinado asiático Xuan Jung. Han hecho un gran match, muchas gracias por su contribución al torneo. Y, por supuesto, enhorabuena a nuestros muchachos de La Loma por su victoria... Ahora, es un auténtico placer para el colegio recibir a uno de sus antiguos alumnos más ilustres. Con todos ustedes...

Desde la grada, unos gritos le cortaron:

–¡Que hable el director!

–¡Eso, que haga el anuncio el director!

–¡Queremos oír a Bianchi!

–¡Director, hablá vos, por favor!

Ante las peticiones, Romero se giró hacia su jefe y le interrogó con la mirada.

El director aceptó con un gesto de cabeza.

–De acuerdo –dijo Romero–. El director en persona les hará el anuncio.

Y se apartó.

El doctor Bianchi sonrió encantado, como si estuviera halagado por las peticiones del público.

Incluso yo, que era un recién llegado, sabía lo que iba a ocurrir cuando empezara a hablar.

Me pareció increíble que no se diera cuenta.

Tuve ganas de salir y avisarle: «No hables, que se van a reír de ti».

No sé cuántas veces le habría ocurrido.

Sin embargo, él parecía no enterarse.

Se acercó al micrófono.

Y, con su característica voz de pito, dijo:

–Qué gran partido jugaron los pibes. Estoy emocionado.

Inmediatamente, empezaron a escucharse risas.

Aun así, él siguió:

–Para celebrar el triunfo, queremos dar la bienvenida a un hombre que todos ustedes conocen, un antiguo alumno de La Loma. Pero, sobre todo, un gran... artista.

Cada vez le costaba más hablar.

Las risas y los comentarios iban en aumento.

La verdad es que su voz de pito era muy... aguda.

Muchísimo.

Nunca en mi vida había escuchado algo así.

Sin embargo, no me hizo gracia.

No me gustaba que todos se rieran.

Una broma, vale.

Pero... ¿cada vez que abría la boca se reían de él?

Por mucho que fuera el director de un colegio superimportante y que hiciera como si no le importara, seguro que lo pasaba fatal.

–¡Doctor Flautín!

–¡Vos sí que sos un artistaaaaa!

Y más risas.

Y gritos.

A pesar de todo, el director continuó hablando:

–En este cincuenta aniversario del Torneo del Obelisco... es una sorpresa y un honor contar con la presencia del hombre que hizo con sus propias manos el obelisco... ¡El maestro Alejandro De Sosa!

De golpe, todo el mundo dejó de reírse.

Como si hubieran escuchado el nombre de un fantasma.

Un gran murmullo recorrió la grada.

El maestro apareció por un extremo del campo.

Con su cuerpo menudo y arrugado.

Caminando despacio, sin levantar la cabeza.

Atravesó el césped lentamente.

Alguien empezó a aplaudirle desde la banda.

Era Rosita.

Enseguida, Helena también aplaudió.

Poco a poco, el resto de presentes se unieron al aplauso.

El director del colegio y su ayudante también aplaudían.

Todo el mundo se puso en pie.

Fue una gran ovación.

El maestro parecía un poco avergonzado, como si no le gustara ser el centro de atención.

Cuando llegó al centro del campo, hizo un gesto con la mano.

La gente siguió aplaudiendo.

Por lo que había explicado Rosita, hacía muchísimos años que nadie le veía en público.

El ayudante Romero bajó el micrófono para que pudiera llegar mejor.

El Maestro Sosa se acercó.

Y dijo:

–Un anuncio he venido a hacer.

Todo el mundo seguía en pie.

Atentos a cada palabra del legendario Maestro Sosa.

–Hummmmmm –dijo él.

Y se quedó callado.

Como no seguía hablando, Romero se acercó al micrófono y preguntó:

–¿Qué anuncio es ese, Maestro Sosa? Después de tanto tiempo, estamos todos deseando escucharle. ¿Qué ha venido a decirnos?

El maestro agarró el micrófono con la mano.

Abrió mucho los ojos.

Y exclamó:

–Todos deseo quieren pedir. Pero una cosa olvidan...

–¿Qué?

–¿Qué olvidan?

–Dígalo, maestro... ¿Qué cosa olvidan?

El Maestro Sosa contuvo el aire y, ante la expectación de todos, bramó:

–¡Que solo una oportunidad tendrán! ¡Una solo!

–Ya, ya, eso está muy bien –replicó una mujer desde la parte superior de la grada–. ¡Pero todos tenemos derecho a pedir un deseo!

–¡Yo quiero pedir un deseo para mi familia! –aseguró un señor muy gordo.

–¡Y yo para mis hijos, que están muy lejos!

–¡Yo también quiero un deseo!

–¡Y yo!

Parece que la intervención del maestro había provocado una especie de terremoto entre los presentes.

En medio de aquel caos, apareció otra persona en el campo.

Corriendo desde un lateral, entró al terreno de juego un hombre rechoncho vestido con un uniforme de guardia de seguridad.

¡Jorge!

Iba gritando algo.

Y se llevaba las manos a la cabeza, desesperado.

Con tanto lío, no se podía entender lo que decía.

Llegó al centro del campo y agarró el micrófono de un manotazo.

Se lo acercó a la boca y pidió que conectaran el sonido de nuevo.

Con el rostro desencajado, exclamó:

–¡Robaron el obelisco!

24

Se armó un revuelo impresionante.

En cuanto Jorge anunció el robo delante de todo el mundo, la gente se puso muy nerviosa.

Hubo gritos y acusaciones de unos a otros.

–¡Qué vergüenza!

–¡El obelisco es de todos!

–¡Menuda vigilancia!

–¡Atrapen al ladrón!

–¡Y denle su merecido!

–¡Esa señora de ahí abajo desapareció un momento y volvió con una bolsa muy sospechosa!

–¡Pero oiga, si es la bolsa de la compra, que la dejé un momentito detrás del asiento!

–¡Calma, calma, por favor! –trató de decir Romero.

Pero no había manera.

Nadie le hacía ni caso.

Muchos de los presentes siguieron gritando y acusándose.

Otros espectadores comenzaron a irse, hartos.

A través de los altavoces del campo, pidieron entonces que nadie se marchara.

Por lo visto, nadie podía abandonar las instalaciones de La Loma hasta que llegase la policía.

–¡Rogamos que permanezcan en sus asientos hasta la llegada de los agentes del orden! ¡La policía está de camino! ¡Repetimos: no se puede abandonar el recinto por el momento!

Eso exaltó aún más los ánimos.

–¡Lo que faltaba!

–¡A mí nadie me dice lo que tengo que hacer!

–¡Yo no hice nada y me voy, que estoy apurado!

–¡No pueden retener a personas honradas sin una orden federal!

La gente estaba indignada.

Y muy preocupada.

Cualquiera podía ser sospechoso.

Aquello era un caos.

Los dos policías del aeropuerto, que habían venido a ver el partido con sus familias, se acercaron al centro del campo.

La pareja de agentes, con sus bigotones y sus inconfundibles chaquetas de cuadros, se acercaron a Jorge ante la atenta mirada del director del colegio y del Maestro Sosa, que no se perdía detalle de todo lo que ocurría.

Nosotros seguíamos observando todo desde debajo de la grada.

En medio de los gritos y del lío, Helena con hache llegó corriendo a nuestro lado.

–¿Dónde lo habéis escondido? –preguntó.

–¿El qué? –dije yo.

–Pues qué va a ser... El obelisco.

–No lo hemos robado nosotros –respondí.

–¿¡Qué!?

Marilyn intervino y dijo:

–Pakete asegura que ha sido el guardia de seguridad.

–¿Pero qué estáis diciendo!? –exclamó Helena–. Eso no puede ser. Teníais las llaves y estaba todo organizado y...

–Ya, ya –le corté–. Pero cuando estaba delante de la sala de trofeos, no sé qué pasó... De repente, llegó Jorge y se lo llevó.

–¿Quién es Jorge?

–Os lo estoy diciendo: el guardia de seguridad.

–¿Y por qué hizo una cosa así? –me preguntó Helena.

–¡Y yo qué se! –contesté–. Para pedir el deseo mágico, supongo.

Me observaron con desconfianza.

–No me miréis así –protesté–. Vosotros no estabais allí. ¡Estaba muy oscuro y todo era muy difícil! ¡Si me equivocaba de llave, sonaría la alarma y me detendrían, y por eso estuve dudando hasta el último momento! ¡Y luego apareció Jorge y, antes de que pudiera darme cuenta, robó el obelisco!

Todos me miraban intentando comprender cómo había podido ocurrir.

Toni dijo:

–¿Sabes lo que estoy pensando? Pues que el obelisco lo has robado tú y lo has escondido porque quieres el deseo para ti. Y después te has inventado todo eso del guardia de seguridad.

–¡Pero cómo me voy a inventar una cosa así!

–¿Estáz zeguro de que no lo haz robado tú? –preguntó Camuñas.

–¿Tú tampoco me crees? –le pregunté a mi amigo.

Él se encogió de hombros, sin saber qué contestar.

–Reconoce que es una historia un poco rara –dijo Marilyn–. Mira, si lo tienes tú y nos lo dices ahora, te perdonaremos y buscaremos una solución.

–¡Que no lo tengo yo! –repetí–. ¿Es que nadie me cree?

Mis amigos me miraron desconfiados.

Si ni siquiera ellos me creían, estaba perdido.

Jorge tenía razón: todo el mundo pensaría que yo era el culpable. Y eso que aún no habían empezado con las huellas y las otras pruebas.

Di un paso hacia Helena.

–Te prometo que estoy diciendo la verdad –dije.

Ella pareció dudar.

Me miró como si no supiera qué decir.

En ese momento, Rosita llegó corriendo.

Parecía muy asustada.

–¡La policía le está buscando! –anunció.

–¿A quién? –pregunté.

–A vos –respondió señalándome.

–¡Pero si yo no he hecho nada! –volví a decir.

–Las llaves del guardia las robaste tú –dijo Tomeo–, las cosas como son.

–Y te recuerdo que la última vez que te vi estabas delante de la sala de trofeos, a punto de robar el obelisco –añadió Toni.

–Si nos interroga la policía, no tendremos más remedio que decir la verdad –dijo Anita.

–¡Ayyyyyyy, Pakete, que te van a meter en la cárcel! –exclamó Angustias.

–A los niños no los meten en la cárcel –le corrigió Ocho.

–Pues en un correccional, o un centro de menores, o como se llame –insistió Angustias–. Ayyyyyy, qué pena acabar así un viaje tan bonito....

–Creo que me estoy mareando –dijo Tomeo–. Necesito azúcar. Voy a ver si encuentro unos alfajores en la cocina o en el salón o en algún sitio.

–Voy contigo –dijo Angustias–. Pakete, lo siento mucho, pero yo no resisto los interrogatorios. Si me preguntan, lo voy a contar todo, pero todo todo. Incluso lo del examen de matemáticas del curso pasado que copiaste la tercera pregunta. Si es que siempre has tenido madera de delincuente...

–Zerá mejor que te entreguezz –dijo Camuñas muy serio, poniéndome una mano en el hombro–. No tienes escapatoria.

–¡Pero si yo no he sido! ¡Y además, las llaves del guardia las robamos juntos tú y yo!

–Bueno, a ver, yo prácticamente no hice nada –se defendió–. El plan para diztraer al guardia fue tuyo. Y luego, ya en el robo del obelizco propiamente dicho, no tuve nada que ver.

–Qué fuerte –exclamé.

No me lo podía creer.

De pronto, me sentí muy solo.

¿Ninguno de mis amigos me iba a defender?

Miré de nuevo a Helena.

La idea del robo había sido suya.

Los dos lo sabíamos.

Tuve la sensación de que en el fondo, aunque no lo dijera, ella me creía.

Pero no hubo tiempo para decir nada más.

Oímos un ruido detrás de nosotros.

Un segundo después, apareció uno de los policías bigotones.

El más alto.

Se agachó para pasar debajo de las gradas.

Y se plantó con los brazos en jarra delante de nosotros.

Sacó su placa y se identificó:

–Sargento Rojas, policía federal de Buenos Aires.

Todos nos quedamos mudos, sin atrevernos a mover ni un solo músculo.

A continuación me miró.

Y dijo unas palabras que nunca olvidaré:

–Francisco García Casas, tenés que acompañarme en relación con el robo del obelisco.

Señalé a Jorge.

Lo dije alto y claro para que pudieran entenderme:

–Ha sido él.

El guardia de seguridad se quitó la gorra y negó con la cabeza, como si yo estuviera diciendo un disparate.

–Qué feo que inventes estas cosas, pibe –dijo.

Nos encontrábamos en la sala de trofeos.

Me había llevado hasta allí el sargento Rojas.

Jorge estaba junto al otro policía, el más bajito, que al parecer era teniente.

–Podés llamarme teniente Balzaretti o teniente Balza, como prefieras –dijo resoplando y tocándose el bigote.

Igual que habían hecho en el aeropuerto, el sargento y el teniente se acariciaron el bigote al mismo tiempo.

Los dos pasaron sus dedos entre los pelos de su mostacho mientras me observaban como si yo fuera un peligroso criminal.

–Verás, no estamos acá para perder el tiempo –dijo Balzaretti–. Parece que te metiste en un problemón. Será mejor que confieses cuanto antes.

–¿Dónde está el obelisco? –preguntó el sargento Rojas.

–Le prometo que no tengo ni idea –respondí, y señalé de nuevo a Jorge–. Pregúnteselo a él. Es el ladrón.

–Estos gallegos tienen mucha imaginación –replicó Jorge–. Ayer al amanecer, este mocoso se presentó en mi garita con el cuento de que le dolía un tobillo y aprovechó para quitarme las llaves.

–¿Por qué no denunció el robo? –preguntó Balzaretti.

–¡Eso! –exclamé–. Muy bien dicho, señor teniente Balza. A ver, ¿por qué no denunciaste ayer mismo el robo de las llaves?

–Muy sencillo –respondió Jorge–. Porque hasta hoy, al empezar mi turno, no me di cuenta. Nada más echarlas en falta, vine corriendo a la sala de trofeos, temiendo lo peor... Y me encontré la puerta abierta y la vitrina del obelisco vacía. El resto ya lo saben: salí al campo y anuncié el robo.

–¿Pero cómo puedes ser tan mentiroso? –pregunté–. No denunciaste la desaparición de las llaves porque querías robar el obelisco y luego echarme la culpa a mí.

–Eso no se lo traga nadie –replicó–. No te vas a salir con la tuya, ladroncito de morondanga.

–Tú tampoco, abusón.

–Niñato.

–Embustero.

–¡Basta! –intervino el sargento Rojas–. Se acabaron las tonterías. Solo hablen cuando se les pregunte.

El teniente intercambió una mirada con su compañero y luego se dirigió a mí:

–No sé si te das cuenta de que es un asunto muy grave –dijo Balzaretti, al tiempo que se tocaba el bigote.

–Gravísimo –recalcó Rojas.

–En estos momentos, ahí afuera está en marcha un gran dispositivo policial en busca de la pieza robada.

–Docenas de agentes están procediendo a registrar el colegio palmo a palmo. Ningún espectador saldrá del recinto con el obelisco.

–Interrogarán a cientos de personas.

–Tal vez miles.

Cada vez que hablaban, se tocaban el bigote.

Me estaba mareando un poco, la verdad.

–Podemos ahorrar mucho tiempo si colaborás y confesás lo que has hecho –zanjó Balzaretti.

–Pero es que... –traté de intervenir.

–Solo hablá cuando te pregunten –me cortó el sargento.

De nuevo, el sargento y el teniente se tocaron sus bigotes a la vez.

Perfectamente sincronizados.

–Ahora sí te voy a hacer una pregunta –dijo Balzaretti–. ¿Ayer por la mañana robaste las llaves del guardia de seguridad?

Dudé un instante.

Pensé que si quería tener alguna oportunidad de que me creyeran, debía decir la verdad.

–Sí, lo admito –dije.

–Muy bien –asintió Balzaretti–. Siguiente cuestión: ¿con esas llaves pretendías robar el obelisco de la sala de trofeos donde nos encontramos?

Era una pregunta más complicada.

Pero, aun así, estaba dispuesto a ser sincero.

Había que llegar hasta el fondo del asunto.

Miré la vitrina vacía delante de nosotros.

Y respondí:

–Sí, señor. Pretendía robarlo. Pero...

–No hay peros que valgan –me interrumpió el teniente–. Está clarísimo que sos el sospechoso número uno de robar el obelisco.

–El sospechoso principal –murmuró el sargento.

–Es más: el único sospechoso –sentenció Balzaretti.

Me giré hacia Jorge.

Aquel guardia rechoncho, con su gran nariz, me había caído bien desde el principio. No podía entender cómo era capaz de culparme del delito que había cometido él mismo. Vale, reconozco que no había estado bien robarle las llaves. Pero lo habíamos hecho por una buena causa. Y pensábamos devolvérselas.

–Mirá, Francisco –dijo Balzaretti con un tono amistoso–. Hay muchas personas que andan detrás de ese obelisco. Es una obra de arte valiosa. Y luego está todo eso del deseo mágico. Son cosas demasiado importantes que un pibe como vos no puede comprender. Devolvelo y te prometo que no te pasará nada grave.

Si lo hubiera robado yo, habría sido el momento perfecto para confesar.

Era una sensación muy extraña.

Sabía perfectamente que no lo había hecho.

Pero, ante la insistencia de todos, por un momento me sentí culpable.

Tuve que recordarme que era inocente.

–No puedo devolverlo porque no lo tengo –protesté, y volví a señalar a Jorge–. ¡El ladrón es él!

–Qué terco y qué boludo es el muchacho –murmuró Jorge.

–Te estás metiendo en un lío –me advirtió el sargento.

Entonces se escuchó una voz en el otro extremo de la sala.

–¡Ustedes también están en un lío!

Todos nos giramos hacia allí.

En el marco de la puerta apareció mi padre.

Detrás de él asomaron Bernardo y Esteban.

–Es un niño. No pueden interrogarle sin que esté delante su tutor legal, o sea, yo –dijo mi padre avanzando hacia mí.

–¿Quién es usted? –preguntó Balzaretti.

–Emilio García, policía municipal de Sevilla la Chica, España. Y padre de la criatura.

A continuación, Bernardo entró en la habitación con su mejor sonrisa.

–Bueno, bueno. Haya paz –dijo–. Entre agentes del orden de distintos países, seguro que pueden entenderse. Aquí todos queremos lo mismo.

–¿Ah, sí? –preguntó el teniente, desconfiado–. ¿Y qué queremos, si puede saberse?

–Muy buena pregunta, je, je –contestó Bernardo–. Pues lo que todos queremos es... cooperar para que se recupere el obelisco, por supuesto.

–El problema –dijo el sargento Rojas– es que el culpable es este niño, y no quiere devolverlo.

–¿Cómo sabe que ha sido él? –preguntó mi padre.

–Ha confesado –respondió Balzaretti.

–¿¡Ha confesado!? –exclamó Esteban.

–¿Has confesado? –me preguntó mi padre.

–Un poco –dije.

–Dijo claramente que le quitó las llaves al guardia de seguridad para robar el obelisco –siguió Balzaretti–. Es un caso obvio.

–¿Hiciste eso, Francisco? –me preguntó mi padre, alarmado.

–Hummmm... Creo que sí. Pero al final no lo robamos, de verdad que no...

–Un momento –intervino Balzaretti–. ¿Has dicho «robamos», en plural? ¿Quiénes son tus cómplices?

Me quedé mudo.

No pensaba delatar a mis compañeros, mis mejores amigos.

–No, no. Lo hice yo solo –dije.

–¿Le escucharon? –saltó Jorge–. Acaba de confesar otra vez: «Lo hice yo solo». ¡Es obvio: este niño es el ladrón del obelisco!

–Me refería a las llaves –protesté.

–Ya, claro –insistió Jorge.

–Devolvé el obelisco, pibe, te lo estoy pidiendo –me dijo Balzaretti–, y acabemos con esto de una vez.

–¡Que yo no lo he robado! –exclamé–. ¡Ya no sé cómo decirlo!

Mi padre me miró fijamente.

–Escucha, Francisco, te lo voy a preguntar una sola vez: ¿lo has robado tú?, ¿sí o no?

Negué con la cabeza.

–No y mil veces no.

–Está bien –dijo mi padre–. Señores, mi hijo y yo nos vamos. Si desean algo más, cursen una orden oficial. Les recuerdo que es un menor de edad y no pueden retenerle si no lo autoriza un juez.

–En eso lleva razón –intervino Bernardo, que intentaba hacer de mediador–. Pero, por supuesto, de buen rollo, ¿eh?

–Sí, sí, muy buen rollo –repitió mi padre–. Ea, Francisco, en marcha.

Sin esperar respuesta del teniente o del sargento, mi padre me agarró de la mano y tiró de mí.

Los dos salimos de la sala de trofeos.

Mientras avanzábamos por el pasillo pude oír al teniente Balzaretti, que seguía hablando con Bernardo y con Esteban:

–Vamos a proceder a un análisis de huellas dactilares. En pocas horas tendremos pruebas definitivas de quién es el ladrón.

No sé si lo dijo para que yo lo escuchara o para qué.

Reconozco que me asusté un poco.

Sabía perfectamente que encontrarían huellas mías en las llaves y que eso no me ayudaría precisamente.

Fuimos caminando hasta la puerta de mi habitación.

–Voy a hacer unas llamadas a España –dijo él–. Por favor, no te metas en ningún lío hasta que yo regrese.

–Sí, papá.

Le miré a los ojos.

Nunca había visto a mi padre tan serio.

–¿Te puedo hacer una pregunta? –dije.

–Dime.

–Tú me crees, ¿verdad?

Tardó unos segundos en contestar.

–Me has dicho que no lo hiciste. Para mí, eso es suficiente.

–Ya, ya, pero ¿me crees?

–Claro, Francisco, claro.

Por la expresión de su cara, me dio la impresión de que no era cierto.

Ni siquiera mi padre me creía.

Parece que todo el mundo estaba convencido de que yo había robado el obelisco.

Y daba exactamente igual lo que dijera.

Se podía ver la luna a través de las cristaleras del primer piso.

Allí estaba Helena.

Esperándome.

Me había pasado la tarde en mi habitación, sin salir.

Hasta que Helena con hache me escribió un mensaje:

«Te espero en el primer piso, al fondo del pasillo».

Mi padre había dicho que no me metiera en líos.

Pero ya estaba harto de esperar sin hacer nada.

Tenía muchas ganas de ver a Helena.

Hablar con ella de todo lo que estaba ocurriendo.

Además, ir al primer piso de la residencia no era ningún lío.

Así que no lo pensé ni un segundo.

Salí del cuarto y fui a ver a Helena.

–Hola –dijo nada más verme.

Estaba guapísima, con la luz de la luna iluminando su pelo y sus enormes ojos.

Me acerqué despacio.

Entonces, al doblar la esquina, descubrí que no estaba sola.

A su lado se encontraba...

El Maestro Sosa.

–Ah, hola –dije, un poco decepcionado.

El maestro se debió dar cuenta, porque me preguntó:

–¿Una cita con Helena creías que era?

–No, no, no, yo no... –respondí–, una cita dice, ja, ja, ja, ja... Por supuesto que no.

–Que era una cita pensaba el muchacho –sentenció el Maestro Sosa.

Helena sonrió.

Yo me empecé a poner rojo.

–¡Que yo no creía nada! –protesté.

Ella me hizo gestos para que bajara la voz.

–No pasa nada –dijo Helena–. Además, no hemos venido para hablar de citas. El Maestro Sosa me ha contado una cosa sobre Jorge.

–Es un ladrón y un mentiroso –dije rápidamente–. Ha robado el obelisco. Y, por su culpa, todos creen que he sido yo.

–Cada persona muchas cosas es al mismo tiempo –dijo el maestro–. Jorge hacer mejor jugada de fútbol que yo ver nunca.

–¿Jorge? –pregunté asombrado–. ¿El guardia de seguridad?

Él asintió.

–En final Torneo Obelisco muchos años hace –empezó a contar el maestro–. Último curso de Jorge en colegio. Él, delantero titular de La Loma. Menos de un minuto quedar y partido empate ir.

Helena y yo le escuchamos con muchísima atención.

El Maestro Sosa continuó su relato:

–Jorge el balón dentro del área controla. A dos defensas regatea. Un caño. Y luego, otro. Si él marca ahora, ganar partido y torneo y máximo goleador ser. Levanta cabeza para chutar...

Cada vez estaba más emocionante la jugada.

–Pero Jorge disparar no pudo... El portero al suelo se tira y pelota atrapar.

–Vaya –dijo Helena.

–Del impacto con portero, al suelo Jorge caer. Árbitro sin dudar pita y el punto de penalti señala.

–¡Toma ya, penalti! –exclamé.

–Sin embargo, algo inesperado sucede –continuó el Maestro Sosa–. Jorge del suelo levanta. Y grita: «Penalti no es». El árbitro y sus compañeros y rivales no entender. Jorge repite: «Yo caer solo. Penalti no es». Repite muchas veces: «Penalti no es». Todos perplejos le miran.

¿Un delantero que le dice al árbitro que no ha sido penalti a su favor?

No conocía a nadie que hubiera hecho algo así. Y menos en el último minuto de una final.

–Ante insistencia de Jorge, árbitro encoge hombros y dice: «Está bien, no penalti». El entrenador, los compañeros, el público... en lugar de aplaudir deportividad de Jorge, todos gritan y abuchean y le insultan. Al final, pierden torneo en prórroga. Y todos en La Loma enfado mucho con Jorge.

–Pobre –dijo Helena–. Lo único que hizo fue ser honesto.

–Muchos partidos yo ver en mi vida –dijo el maestro bajando la cabeza–. Pero esa ser mejor jugada que yo ver nunca. Mejor que grandes goles o regates.

Desde luego, era una jugada distinta.

–No sabía que le gustaba tanto el fútbol, maestro –dije.

–Muchas cosas tú no saber –replicó.

–¿Y por qué me cuenta esto precisamente ahora? –pregunté.

–Jorge ladrón y buena persona al mismo tiempo puede ser –respondió–. Nada es lo que parece a vista primera.

–Entonces, ¿qué debo hacer? –insistí.

–Yo no saber –contestó.

El maestro se giró, mirando por la ventana.

La historia de Jorge me había impresionado. La verdad es que no sé si yo sería capaz de hacer algo así.

Observé a Helena.

Pensé en lo mucho que me gustaba jugar con ella al fútbol. Por alguna razón, me sentí feliz y triste al mismo tiempo.

–Te echo mucho de menos –dije.

Ella me miró asombrada.

–¿Has dicho que me echas de menos? –preguntó–. Es la primera vez que lo dices.

–Yo... Bueno... No sé por qué lo he dicho.

Quería morirme de vergüenza.

–Me refería al equipo –traté de explicar–. Desde que te has venido a vivir a Argentina, vamos mucho peor... ya sabes... No hay nadie que juegue como tú de media punta... El sistema en rombo no funciona si no estás...

¡Ya no sabía ni qué estaba diciendo!

–Durante estos tres meses, muchas veces he pensado en volver al pueblo con mi madre –soltó Helena– y con vosotros. Yo sí que os echo de menos.

–¿¿¡En serio!?? –pregunté–. ¿Y por qué no vuelves?

–No lo sé –dijo–. Por mi padre.

Se me ocurrían un millón de razones para convencerla de que regresara a España.

Pero eso no dependía de mí.

–Si vuelves, tu padre puede ir a visitarte de vez en cuando –dije.

–¿A ti te gustaría que yo regresase? –preguntó.

Menuda pregunta.

Pues claro que me gustaría.

Yo creo que es lo que más me gustaría en el mundo.

–¿Cómo puedes dudarlo? –dije.

–Es que, como ahora estás empeñado en que sea novia de Toni –dijo ella–, pues a lo mejor es que ya no tienes tantas ganas de pasar tiempo conmigo.

Puffffffffff...

Había llegado el momento de contarle a Helena la verdad sobre el trato del Río de la Plata. Lo último que yo quería era que Toni y ella fuesen novios.

Abrí la boca y dije:

–Todo tiene una explicación...

Pero no pude continuar.

Porque una voz me interrumpió de golpe.

–¡Francisco, te he dicho que no te metieras en líos hasta que yo volviera!

Mi padre apareció junto al ventanal.

–Te estaba buscando y no te encontraba por ninguna parte –dijo–. Tengo que hablar contigo. A solas.

–No me he metido en ningún lío –protesté–. Solo estaba charlando con Helena. Y con el Maestro Sosa.

–Francisco en ningún lío meter –dijo el maestro–. Aunque un poco soso es con chica. Helena a él gustar mucho.

¿Eh?

Lo que faltaba: que el Maestro Sosa opinara sobre quién me gustaba a mí.

–¡A mí no me gusta ninguna chica! –rebatí.

–Negar algo no significa que no ser –dijo el Maestro Sosa.

–Esa frase es muy bonita, pero... ¡a mí no me gusta ninguna chica del mundo!

Helena me miraba divertida.

–Te pones muy gracioso –dijo.

–Yo no le veo la gracia –protesté.

Mi padre cortó la conversación y dijo:

–Muy interesante todo esto, pero ahora tenemos que hablar de cosas más urgentes. Hala, Francisco, andando.

Sin más, mi padre y yo dimos media vuelta y de nuevo nos alejamos hacia mi habitación.

Pude escuchar que el Maestro Sosa dijo:

–Cosas urgentes siempre hacen olvidar cosas importantes.

Por el camino hacia mi cuarto, nos cruzamos por el pasillo con Camuñas, que al verme abrió mucho la boca y dijo:

–¡Mira, he estado en el dentista y me han puesto dos fundas muy chulas en los dientes rotos! ¿A que molan?

–Perdona, Camuñas, pero tengo que hablar con Francisco a solas –dijo mi padre muy serio–. Si no te importa, esta noche dormirás en la habitación de Tomeo y Angustias.

–Sí, claro, lo que usted diga, señor Emilio –respondió abriendo la boca todo el tiempo, como si quisiera alardear de sus nuevas fundas–. Hasta luego, Pakete.

Mi padre y yo seguimos adelante por el pasillo.

¿Qué sería aquello tan urgente que tenía que decirme?

27

–Volvemos a España.

Le miré con los ojos muy abiertos.

–¿¡¡Qué!!?

–Mañana por la mañana regresamos a España –dijo mi padre, muy preocupado.

–¿Pero quién? ¿Todo el equipo?

–Solo tú y yo –respondió él–. Esto del robo es algo muy serio, no quiero problemas.

–¿Vamos a huir en plan fugitivos? –pregunté–. ¿Con pasaportes falsos y esas cosas?

–No digas tonterías. Nos vamos a ir tranquilamente en avión, como cualquier otro pasajero.

–Ah, vaya –dije decepcionado.

–Es lo mejor. Si la investigación del robo sigue adelante y te acusan formalmente, prefiero que estemos ya en España. Dime la verdad, Francisco: ¿van a encontrar tus huellas en las llaves?

–Creo que sí –admití–. Ya te lo expliqué: cogí las llaves, pero no robé el obelisco.

–Resumiendo: le quitaste las llaves al guardia de seguridad.

–Sí.

–Fuiste a la sala de trofeos dispuesto a robar el obelisco.

–Sí.

–Confesaste al teniente que lo habías hecho.

–Sí.

–Y, para colmo, tus huellas están en todas partes.

–Pues... sí.

La verdad es que, así dicho, parecía culpable.

–¿Me van a meter en la cárcel? –pregunté asustado.

–Desde luego que no –contestó él–. Esteban se está encargando de todo. Además de ser el director del colegio, es abogado y sabe mucho de estas cosas... Ya se lo he dicho a Felipe y Alicia también.

Entonces me di cuenta.

–Pero si nos vamos... no podré jugar la final del torneo.

–Eso ahora es lo de menos.

–Lo de menos tampoco, porque es un torneo muy importante. Y además, piensa que, si ganamos el torneo, el obelisco será para nosotros... y ya no me podrán acusar de robar una cosa que es mía.

Mi padre me miró y negó con la cabeza.

–¡Eso está muy bien, pero es que da la casualidad de que lo has robado antes de ganarlo!

–Pues claro: si lo fuéramos a ganar con toda seguridad, no tendría que haberlo robado.

–Entonces, ¿admites que lo has robado?

–¡Que no! ¿Por qué nadie me cree?

–Es que es muy difícil creerte. Todas las pruebas están en tu contra. Y, como policía, pues... tengo mis sospechas. Lo reconozco.

–¿Y como padre? ¿También sospechas de mí? ¿De tu propio hijo?

–¡Eso es chantaje emocional, Francisco!

Lo del «chantaje emocional» no sé exactamente qué es, pero creo que consiste en poner cara de bueno y recordarles a los demás que los quieres mucho cada vez que lías una muy gorda.

–Lo he aprendido de ti –dije–. Es lo que haces tú siempre con mamá cada vez que haces algo que no le gusta.

–¡Yo no hago esas cosas!

–Sí que lo haces, papá.

–Puede que lo haga un poco, pero tú... tú... no robes obeliscos mágicos, que mira cómo estamos.

–¡Que no lo he robado!

–Eso habrá que verlo. En cuanto lleguemos a España... castigado.

–¿Pero por qué?

–Pues... por robar las llaves al guardia, y por contestarme, y por más cosas que ya se me irán ocurriendo.

–¡Es una injusticia muy grande!

–¡Pamplinas! –exclamó.

–¡Eso de pamplinas lo dice mamá, no tú!

–Yo digo lo que quiero, faltaría más... Se acabó la discusión. He pedido que te traigan la cena a tu cuarto. No te muevas de aquí. Mañana a primera hora nos vamos. Y el castigo ya lo pensaré, pero no creas que te vas a librar... Estoy muy pero que muy...

–¿Muy qué?

–¡MUY!

No sé lo que significaba eso, pero, desde luego, nada bueno.

En ese instante sonó el teléfono móvil de mi padre.

–Es un número desconocido de España... Qué raro –murmuró mirando la pantalla.

Descolgó y dijo:

–¿Sí...?

Al escuchar la voz al otro lado del teléfono, le cambió la cara.

–Menos mal que me llamas... –dijo mi padre–. Sí, sí... Te iba a llamar yo... ¿Cuándo? Pues enseguida, no lo sé... ¿Y este número? Ah... claro... claro... claro... Está aquí conmigo... Sí, pongo el manos libres...

–¿Quién es? –pregunté intrigado.

No tuvo tiempo de responder, porque en cuanto puso el manos libres saltó una voz que conocía muy bien:

–¡Franciscooooo! ¿Qué has hecho ahora?

Me acerqué al móvil y contesté:

–No he hecho nada, mamá.

–Eso no es lo que me han dicho... ¿Es verdad que has robado el obelisco ese?

–Pues...

–No contestes, hijo, no digas nada –se adelantó mi madre–, que a lo mejor están grabando esta conversación y la pueden usar como prueba. Ayyyyyyyy, si es que no te puedo dejar solo.

–Ese asunto creo que ya había quedado claro, Juana –intervino mi padre–. El niño no está solo. Precisamente estoy haciendo todas las gestiones para volver a España en un vuelo de...

–Shhhhhhhh... Emilio, no des ningún dato –le cortó ella–. ¿No te das cuenta de que nos pueden estar espiando? Esta familia está... ¡en el ojo del huracán!

–¿Eso qué quiere decir? –pregunté.

–Que tenemos que permanecer unidos y atentos –respondió mi madre–. Fíjate lo que te digo, Francisco: no te vuelves a ir nunca más de viaje sin mí. A ningún sitio.

–Pero el campamento de este verano...

–¡Nada! ¡Con tu madre a todas partes! ¡No me voy a separar de ti ni un minuto!

–Qué bien.

–Juana, será mejor que cortemos la conversación –dijo mi padre–. Además, esto cuesta un dineral.

–Por eso he comprado una tarjeta prepago, que luego llega la factura y te pegan un susto –aclaró mi madre–. Estos de las compañías telefónicas son unos ladrones de mucho cuidado...

A su lado pareció oírse un ruido.

Alguien acercándose al teléfono.

Mi hermano Víctor.

–¡La que has liado, enano! –exclamó–. ¡Al trullo de cabeza!

–Víctor, por favor –pidió mi padre–, compórtate, que no estamos para bromas.

–Si no es broma. Lo digo muy en serio –insistió–. ¡El enano entre rejas! Por lo menos podré vacilar con los amigos de tener un hermano peligroso. Ja, ja, ja, ja, ja...

–Ya está bien, Víctor –le cortó mi madre–. Como vuelvas a decir una tontería, te dejo un mes sin móvil.

–Siempre protegiendo al enano –protestó mi hermano–, aunque sea un ladrón.

–Yo no he hecho nada –repliqué–. Solo he cogido unas llaves de un guardia de seguridad...

–¡No digas nada, Francisco! –zanjó mi madre–. ¡Que luego lo pueden usar en tu contra!

–¡Como en las películas! –soltó Víctor.

–Bueno, vamos a colgar, que se acaba el saldo –dijo mi madre–. Solo quería saber que estabas bien, cariño.

–Estoy bien –respondió mi padre–, un poco agobiado, pero bien.

–Tú no, alcornoque... El niño –replicó mi madre–. ¿Estás bien, Francisco?

–Yo estoy... bien –dije–. Aunque me gustaría jugar la final del torneo, y meter un gol, y ganar el obelisco, y demostrar a todos que soy inocente.

–¡De momento, confórmate con que no te metan en la cárcel! –dijo mi hermano.

–Se acabó –zanjó mi madre muy seria–. Víctor, a tu habitación. Y tú, Francisco, haz caso a tu padre en todo y no te metas en más líos, por favor te lo pido.

–Sí, mamá.

–Y come verdura.

–Sí, mamá.

–¡Y si puede ser, no robes nada más!

–Sí, mamá.

–Juana, te lo tengo que decir –intervino mi padre antes de colgar–: me ha dolido un poco eso de «alcornoque». Sabes que soy muy sensible para estas cosas.

–Venga, anda, no te lo tomes así, que estamos todos un poco nerviosos. Alcornoque, pero con mucho cariño.

–Ayyy, Juana, cómo te echo de menos.

–Y yo también, tontorrón... Oye, que se acaba el saldo...

Se oyó bruscamente un CLIC.

Por suerte, la conversación se cortó de golpe.

Si no, seguro que se habrían puesto otra vez a decirse cosas empalagosas.

–Bueno, ya has oído a tu madre...

–Sí, ya he oído cómo te ha llamado «alcornoque» –dije.

–¡Francisco, no te pases! Me refiero a eso que ha dicho de que me hagas caso en todo... y que no te metas en más líos.

Sin más, se encaminó hacia la puerta.

–Voy a arreglar los detalles del viaje –dijo mi padre justo antes de salir–. Te van a traer la cena. No salgas de aquí, por favor. Y no hables con nadie.

Me pasó la mano por el pelo, que es una de las cosas que menos me gustan en el mundo.

Y dijo:

–Ya verás como todo sale bien al final. Te quiero mucho, Francisco.

–Yo también, papá.

Salió de la habitación.

Y me quedé allí solo.

Supongo que mi padre tenía razón: lo mejor era volver a casa cuanto antes.

Pero me dio un poco de pena. No podría jugar la final con mis compañeros. Y, sobre todo, no podría despedirme de Helena.

Al resto los vería pronto.

Pero a ella... A saber cuándo volvería a verla.

A veces, las cosas no salen como uno quiere.

Sería mejor hacer caso a mi padre. Quedarme en la habitación. Cenar. Acostarme temprano. Y esperar a que él viniera a buscarme para irnos.

Después de todo lo que había ocurrido, era lo mejor.

En ese momento, sonó un pitido en mi móvil.

Me acerqué al teléfono y miré a ver de qué se trataba.

Había un mensaje de Helena con hache:

«Reunión de los Futbolísimos».

Me quedé observando la pantalla.

«Helena está escribiendo».

Contuve la respiración, esperando a que terminara.

Hasta que al fin llegó un nuevo mensaje:

«A las 12 de la noche en la sala de trofeos».

Inmediatamente fueron contestando todos:

Marilyn: «Ok».

Camuñas: «Ok».

Toni: «Ok».

Anita: «Ok».

Ocho: «Ok».

Tomeo: «Ok».

Angustias: «Ya os vale con las horas. Ok»

Lo pensé un segundo.

Resoplé.

Y escribí: «Ok».

28

Ya sé lo que había dicho mi padre.

Y lo que yo había prometido.

Pero si me iba a ir al día siguiente...

Por lo menos, quería despedirme de Helena.

No pasaría nada porque me acercara un momentito a la reunión con los Futbolísimos.

No pensaba meterme en ningún lío.

Ni hacer nada extraño.

Solo decir adiós.

Y volver a la cama.

Salí de la habitación a hurtadillas.

Atravesé la residencia sin hacer ruido.

Por los pasillos no me crucé con nadie; a esas horas estaba todo desierto.

Cuando llegué frente a la sala de trofeos, estaba completamente a oscuras.

No se veía a nadie.

Tal vez no había sido buena idea ir allí.

Pensé en dar media vuelta, pero entonces vi que se encendía una luz dentro de la sala.

Y luego otra.

Y otra más.

–¡Estamos aquí! –exclamó Tomeo moviendo la linterna de su teléfono.

–¡Shhhhhhhhhhhh! –dijo Marilyn–. Que nos van a oír.

Intentando no hacer ruido, pasé al interior de la sala de trofeos.

Allí estaban todos mis amigos. Bueno, casi todos.

No vi a Helena por ninguna parte.

–Creíamos que no ibas a venir –dijo Camuñas sonriendo.

–¿Por qué abres tanto la boca? –le preguntó Ocho.

–Para que veáis mis nuevas fundas –respondió Camuñas orgulloso, iluminando con la linterna las fundas blancas que cubrían sus dientes–. Molan, ¿eh?

–Sí, mucho.

Rosita se acercó a mí.

–Yo sabía que vendrías, morocho. Eres un valiente.

–Bueno, yo... Valiente tampoco...

–¿Es verdad que te vas a España mañana por la mañana? –preguntó Marilyn.

–¿Y que han encontrado tus huellas en las llaves?

–¿Y que la policía te va a detener en el aeropuerto?

–¿Y que tienes el obelisco oculto en un escondite secreto?

–¿Y que eres uno de los criminales más buscados de España y Argentina?

Todos me miraban expectantes.

Seguían pensando que yo lo había robado.

–¿Para esto es la reunión? –pregunté muy decepcionado–. ¿Para acusarme otra vez?

–No, no –dijo Ocho.

–De ninguna manera –añadió Anita.

–Bueno, en parte sí –admitió Tomeo.

–La reunión la ha organizado Helena –dijo Marilyn–, y todavía no ha llegado...

–¿Y por qué hemos quedado justamente aquí? –preguntó Angustias–. ¿Y a las doce de la noche? Con la de sitios bonitos que hay en esta residencia a la luz del día...

–Seguro que Helena tiene un buen motivo –aseguró Anita.

–¿Qué se siente al volver al lugar donde robaste el obelisco? –preguntó Camuñas.

–Y dale –respondí–. Que yo no he sido.

–¿Y tampoco es verdad que mañana por la mañana te vas con tu padre y nos dejas aquí tirados? –dijo Toni.

–¿Te vas mañana? –preguntó Angustias–. ¿Me puedo ir contigo?

–Yo no dejo tirado a nadie –protesté–. Al revés: si me voy es porque mi padre se ha empeñado. Está muy preocupado con la policía y todo lo que está pasando.

–Lo sabía: se va –dijo Tomeo–. ¿Cómo piensas pasar el obelisco por la aduana?

–Ten mucho cuidado, Pakete –me advirtió Rosita–. El aeropuerto de Ezeiza tiene mucha vigilancia.

–¡Pero si no lo tengo! –repetí una vez más.

–Venga, anda, dinos dónde está el obelisco –insistió Anita–. Te sentirás mucho mejor si confiesas.

–¡Que yo no lo he robado! –exclamé–. ¡Es la última vez que lo digo: no he sido yo!

–Típico de los criminales: negarlo todo –dijo Camuñas, como si fuera un experto.

Aquello era demasiado.

–Quería despedirme de vosotros –repuse–. Y además, por un momento pensé que a lo mejor esta reunión secreta aquí era para... para resolver todo juntos, como hemos hecho siempre. Pero ya veo que no. ¡Me voy!

Me di la vuelta.

Dejando a todos a mi espalda.

Avancé un paso.

Y otro paso.

Muy despacio.

Tal vez esperaba que Camuñas o Tomeo o alguien dijera: «Quédate. No te vayas. Te creemos. Estamos contigo».

Pero nadie se movió.

Escuché que, en susurros, Anita decía:

–Se está haciendo la víctima.

–También es típico de los criminales –murmuró Camuñas.

–Me encanta cómo se mueve al caminar, ¿viste? –dijo Rosita.

Di un nuevo paso.

Estaba un poco triste.

Menuda despedida.

Cuando ya estaba a punto de darme por vencido...

¡Apareció alguien entre las sombras!

¡Helena con hache!

Venía corriendo.

Nada más llegar, dijo:

–Perdón por el retraso, pero tengo algo muy importante que contaros.

Sin tiempo para que nadie respondiera, añadió:

–Pakete no es ningún criminal. Ni un ladrón. Ni tiene ningún obelisco.

Casi me caigo de espaldas al escucharla.

¡Por fin alguien me creía!

Me dieron ganas de darle un abrazo o un beso.

Por supuesto, no lo hice.

Me giré y dije emocionado:

–Muchas gracias.

–Perdona por haber desconfiado de ti –dijo.

–No pasa nada –contesté.

–¿Y cómo estás tan segura de repente? –preguntó Marilyn.

–Para empezar –dijo Helena–, os recuerdo que la idea del robo fue de Rosita y mía.

–Bueno, la idea fue más tuya que mía –intervino Rosita.

–Para continuar, las llaves las cogió Camuñas del pantalón del guardia –siguió Helena–. Y las escondió Toni un día entero.

–Solo por ayudar –se defendió Toni–. Pero el cerebro de la operación era Pakete.

–Y para terminar... el obelisco lo robó Jorge, el guardia de seguridad –sentenció Helena con toda seguridad.

–¿Cómo lo sabes? –preguntó Anita.

–Pues porque es lo que ha dicho Pakete –respondió–. Y entre nosotros siempre nos decimos la verdad y nos ayudamos. Somos los Futbolísimos. Siempre unidos. Siempre juntos. Parece que se nos ha olvidado.

–Qué bonito eso que has dicho, Helena –dijo Angustias–. Me he emocionado un poco.

–Bueno, lo sé porque somos los Futbolísimos... –continuó Helena–, y también porque acabo de descubrir una cosa.

Todos observamos nerviosos a Helena.

–¿Qué has descubierto? –preguntó Tomeo–. ¡No te pongas en plan misterioso y dilo ya, por favor!

Helena dio un paso al frente.

Y al fin dijo:

–Sé dónde está el obelisco.

Todos enfocamos las linternas de nuestros teléfonos hacia Helena con hache.

Ella sonrió y dijo muy tranquilamente:

–El obelisco mágico está muy cerca de nosotros.

Miramos a nuestro alrededor, nerviosos.

–¿Lo vas a decir de una vez, o vamos a jugar a las adivinanzas? –preguntó Camuñas impaciente.

–¡Me encantan las adivinanzas! –exclamó Rosita.

–No es momento de jueguecitos –dijo Marilyn.

–Qué serios son los gallegos –murmuró la hermanastra.

–Lo voy a decir ahora mismo –intervino Helena–. Pero antes necesito haceros una pregunta.

–Que no sea muy difícil, por favor –pidió Tomeo.

–Pensad en lo siguiente –continuó Helena–: desde que se produjo el robo del obelisco hasta que Jorge salió al campo gritando, pasó muy poco tiempo.

–Exacto –dije, recordando todo lo que había ocurrido–. Solo pasaron unos pocos minutos.

–¿Y eso qué tiene que ver? –dijo Toni.

–Pues mucho tiene que ver –dijo Helena–, porque Jorge no tuvo tiempo de llevarse el obelisco fuera de La Loma y regresar. Es totalmente imposible. Y después tampoco pudo hacerlo porque llegó la policía y acordonó el lugar.

–Entonces... –dijo Camuñas.

–El obelisco... –continuó Marilyn.

–¡Sigue dentro del colegio! –exclamé yo.

–Shhhhhhhhhhhhhhhhhhhhhh –dijeron todos.

–De eso se trata –dijo Helena–. ¡Estoy segura de que sigue dentro de La Loma!

–Qué fuerte –dijo Ocho–. Sigue aquí dentro.

–¿Y te has dado cuenta de repente? –preguntó Tomeo.

–No ha sido de repente: llevo toda la tarde dándole vueltas –contestó Helena–. Sabía que Pakete no podía engañarnos.

–Eso es cierto –dijo Rosita mirándome–. Es tan... valiente, y tan guapo. Incluso con el pelo rapado.

–Gracias –dije, poniéndome un poco nervioso.

–Y ahora –continuó Helena–, la pregunta: si tuvierais que guardar dentro del colegio un trofeo mágico que todos están buscando, ¿dónde lo esconderíais?

Por un momento, nos quedamos pensativos.

–En el lugar que menos se piense la gente... –dijo Marilyn–. ¡En el campo de fútbol!

–Es imposible –negó Helena–. Durante el robo estaba lleno de gente.

–¡Yo lo escondería en la despensa de la cocina! –aseguró Tomeo.

–Buena idea, pero está en la otra punta del colegio.

–¡Pues yo, en la garita del guardia! –dijo Ocho.

–Tampoco le habría dado tiempo a llegar.

–¡En la piscina! –exclamó Camuñas.

–¿Pero cómo lo vas a meter en la piscina? –dijo Anita–. Con el agua se estropearía.

–Lo que tú digas, sabelotodo –se defendió Camuñas–, pero nadie sospecharía de la piscina.

–Marilyn iba muy bien encaminada –dijo Helena–: un sitio que la gente no se lo pueda ni imaginar. El último lugar donde la policía lo buscara...

¡Entonces lo entendí!

–Cuando Jorge robó el obelisco delante de mí –dije–, lo puso en el suelo junto a una bolsa de deportes.

–¿Y...?

–Pues que yo vi cómo agarraba el obelisco con sus propias manos –expliqué–. Y un minuto después, le vi saliendo por la puerta con la bolsa.

–¿¿¿Y???

–Que en realidad nunca le vi meterlo dentro de la bolsa –continué.

–¿¿¿¿¿¿Y??????

Helena y yo nos miramos.

¡Estaba claro!

Empecé a decir:

–El obelisco está en...

–¿En dónde? –preguntó Tomeo–. ¡Suéltalo de una vez, que me va a dar algo!

En ese preciso instante, se oyó un portazo.

¡BLAM!

Todos giramos nuestras linternas hacia la puerta.

Delante de nosotros apareció...

¡Jorge!

El guardia de seguridad nos miró con cara de pocos amigos.

–¡Sois unos listillos! –exclamó–. ¡Queréis estropear mi plan perfecto, pero no lo voy a consentir!

Dio un paso hacia nosotros.

Todos retrocedimos, asustados.

–¡Atrás, mequetrefes! –dijo muy serio.

Seguimos retrocediendo hasta el fondo de la sala.

Jorge se detuvo delante de la vitrina vacía, donde antes estaba el obelisco.

–¡No se muevan de ahí! –advirtió.

Después se agachó y observó otro trofeo que había debajo de la vitrina.

Era un trofeo dorado muy grande con forma de cono. Lo miró fijamente.

–¿No ha tenido bastante y va a robar otro trofeo? –preguntó Camuñas en voz baja.

–¡Silencio dije! –ordenó Jorge.

Puso ambas manos sobre el trofeo dorado y lo levantó con mucho cuidado.

Debajo del cono apareció...

¡Un objeto de color blanco que medía exactamente sesenta y siete centímetros!

¡El obelisco mágico!

–¡Ha estado aquí todo el tiempo! –dijo Marilyn.

–Es lo que estaba tratando de explicaros –asintió Helena.

–Pues has tardado un buen rato –protestó Tomeo.

–Di por hecho que lo llevabas contigo cuando saliste de aquí –dije señalando a Jorge–. Pero en realidad nunca te vi meterlo dentro de la bolsa de deportes.

–El último lugar donde lo buscaría la policía –repitió Helena.

–¿Y no han registrado esta sala? –preguntó Camuñas.

–Por lo que se ve, registraron el colegio entero –respondió Anita–, pero no se podían imaginar que estuviera aquí mismo, dentro de otro trofeo.

–Mi plan salió perfecto –dijo Jorge, que sujetaba el obelisco con las dos manos, contemplándolo con admiración–. Todos creen que el ladrón fue el galleguito. Y nadie sospecha que el obelisco no se movió de la sala en ningún momento.

–Ahora lo sabemos nosotros –replicó Toni.

–No te saldrás con la tuya –añadió Rosita.

–Le contaremos todo a la policía –dijo Ocho.

–En ese caso, tendré que encerrarlos en un lugar del que no puedan salir –aseguró–. Un lugar oscuro y profundo donde no se escuchen sus gritos.

–Perdón, señor Jorge, yo no se lo voy a contar a nadie, se lo prometo –dijo Angustias–. ¿Me puedo ir a mi habitación, por favor?

–¡De aquí no se mueve nadie! –cortó Jorge–. Llevo años esperando este momento, y no me lo van a estropear un puñado de gallegos que se creen muy listos.

–Yo soy argentina –respondió Rosita.

–¡Menos cháchara! –exclamó Jorge–. Me dan los teléfonos móviles. ¡Los voy a dejar incomunicados aquí dentro! Hasta mañana por la mañana nadie los va a encontrar... Y yo ya estaré muy lejos con el obelisco.

–Si no es molestia –intervino Tomeo–, nos podría encerrar usted en la cocina. Es que me dan bajadas de azúcar y necesito comer, y así tendría la nevera a mano...

–¡Basta, esto no es ningún juego! –gritó–. Estoy hablando muy en serio: me dan los móviles ahora mismo. Los voy a dejar aquí encerrados. Y no hay más que hablar. ¡El próximo que abra la boca se va a enterar!

Jorge parecía muy alterado.

Esta vez sí metió el obelisco dentro de su bolsa.

Uno por uno, fue requisando nuestros teléfonos.

Los guardó y se preparó para irse.

Levanté la mano.

–¿Qué querés? –me preguntó.

–Si te marchas ahora, todos sabrán que has sido tú el ladrón –dije–. No podrás volver a La Loma. Y te buscará la policía.

–Eso no es asunto tuyo –replicó.

–Pero entonces, ¿por qué haces todo esto?

El guardia de seguridad me miró en la oscuridad.

Se dio la vuelta y murmuró algo entre dientes.

–Perdona –insistí–, es que no se entiende bien lo que has dicho...

–¡Dije que no lo puedes entender! –respondió–. Lo que más me gustaba en el mundo era jugar al fútbol. Y no lo hacía nada mal. Pero nunca gané nada. Nunca jamás. Ni una liga. Ni un torneo. Nada de nada.

Según hablaba, parecía que se iba emocionando.

Recordé lo que había contado el Maestro Sosa sobre él.

–Con el paso de los años, tuve que aguantar las bromas de mis compañeros –siguió explicando–. Primero, acá en La Loma. Luego, en otros equipos. Decían que jugaba bien, pero que no era competitivo, que no tenía hambre por el triunfo. Incluso decían que era un yeta...

–¿Un qué? –preguntó Marilyn.

–Yeta, que trae mala suerte, ya sabés –aclaró Jorge–. Y que nunca ganaría nada. Y así fue. Se reían de mí, hacían chistes. Yo lo único que quería era ganar algo, aunque fuera un torneo amistoso.

–En el fútbol lo importante es participar –dijo Helena–, y jugar limpio. Y tú hiciste aquella jugada increíble del penalti en la final...

–¡No me quiero acordar! –le cortó Jorge–. Todo eso que decís es muy bonito, pero un día te cansás y también querés ganar algo. Estuve veinte años jugando en distintos equipos y nunca gané nada de nada de nada...

–Por lo menos te darían el premio al juego limpio –dijo Camuñas.

–Ni siquiera eso... Soy un perdedor, soy el mayor perdedor de la historia, ayyyyyyy...

Parecía que estaba a punto ponerse a llorar.

–No llores, por favor te lo pido –dijo Angustias–, que yo me contagio enseguida.

–Entonces –dije–, ¿el deseo que vas a pedir al obelisco es ganar un torneo de fútbol?

Se quedó callado un momento.

Se sonó los mocos.

Después me señaló.

Y contestó:

–¡Se acabaron las preguntas! Me llevo el obelisco y haré lo que me dé la gana.

Ahora sí, abrió la puerta.

–¡Adiós, muchachitos! –exclamó.

Salió y cerró de un portazo.

Nos quedamos en silencio.

Sin atrevernos a mover ni un músculo.

Entonces, la puerta se volvió a abrir.

De nuevo se asomó Jorge.

–A ver, tengo un problemita –dijo–. No puedo dejarlos encerrados porque no tengo las llaves. ¡Pero les prohíbo totalmente que se muevan de aquí! No pueden salir de esta sala hasta... hasta mañana por la mañana. Estoy hablando muy en serio. Soy un hombre muy peligroso, y si no me hacen caso lo pagarán. ¿Lo entendieron?

–Sí.

–Claro.

–Sí, sí.

–Voy a cerrar –continuó–. No quiero ni un comentario, ni una risa, nada. Y, sobre todo, no quiero que nadie se acerque a la puerta. Ahora sí: ¡adiós, muchachitos!

Salió otra vez y cerró de un golpe seco.

Se escucharon sus pasos alejándose a toda prisa por el pasillo.

Nos quedamos quietos, a oscuras, incapaces de reaccionar durante unos segundos.

Helena con hache preguntó:

–¿Qué hacemos?

–Podemos sentarnos y contar historias hasta que se haga de día –dijo Tomeo.

–De eso nada –soltó Marilyn–. Somos los Futbolísimos y no nos asustamos por un ladrón de tres al cuarto que nos amenaza.

–Yo sí –dijo Angustias.

–Yo un poco también –reconoció Ocho.

–Si vamos a contar historias, que no sean de miedo, por favor –pidió Tomeo.

–¡Ya está bien! –exclamé–. Está claro lo que tenemos que hacer: ¡salir por esa puerta ahora mismo y perseguir al ladrón hasta recuperar el obelisco!

–Qué valiente sos –dijo Rosita.

Di un paso a tientas hacia la puerta. Luego otro. Y...

¡CATACLONC!

Choqué con algo y caí al suelo.

–Si es que no se ve nada –me lamenté.

–Ya, ya, muy valiente pero muy torpe –dijo Toni–. No me extraña que seas incapaz de meter un gol.

Iba a contestarle, pero no pude hacerlo porque, en ese momento, el propio Toni abrió la puerta.

–¡En marcha, Futbolísimos! –exclamó Toni en plan heroico–. ¡Seguidme!

De pronto, parecía el líder del grupo.

Inmediatamente, todos le siguieron.

Salieron de la sala detrás de Toni.

Y echaron a correr.

Yo me puse en pie como pude.

–¡Oye! –grité–. ¡Esperadme, que la idea ha sido mía!

Los diez salimos al exterior.

–¡Allí! –alertó Toni señalando hacia el campo de fútbol.

Jorge atravesaba en esos momentos el césped corriendo con la bolsa a la espalda.

–¡Que no escape! –dijo Marilyn.

Todos fuimos tras él.

Corría a toda velocidad.

Supongo que iba en dirección al aparcamiento.

Cuando se dio cuenta de que le estábamos siguiendo, giró la cabeza sin dejar de correr y gritó:

–¡Pero qué hacen! ¡Les dije que no se movieran de la sala!

–¡Ríndete! –dijo Toni–. ¡Nosotros somos diez y tú uno solamente!

–¡Somos los Futbolísticos! –gritó Rosita.

–Los Futbolísimos –corrigió Camuñas.

–Bueno, pues eso.

–Además, es un pacto secreto que no puede saber nadie –le recordó Anita.

–Qué difícil lo ponen todo, chicos –dijo Rosita–. ¡Ríndete! ¡Somos un grupo secreto con un nombre superraro!

–¡Jamás me rendiré! ¡Son un atajo de mocosos! –respondió Jorge–. Les saco mucha ventaja y corro más rápido... Y voy a subirme a un automóvil y huiré y nunca me volveran a ver. ¡Ja, ja, ja, ja, ja, ja!

Tenía razón.

Estaba a punto de llegar a la portería del fondo.

Un momento después, cruzaría hasta el aparcamiento.

Y se marcharía.

No podríamos alcanzarle.

Ni teníamos los teléfonos móviles para pedir ayuda.

En resumen: no podíamos hacer nada.

–No merece la pena correr tanto –dijo Helena, deteniéndose.

–¿Por qué te paras? –pregunté extrañado.

–Porque no tiene escapatoria –respondió.

–¿Ah, no?

En ese instante, cuando Jorge estaba a punto de saltar la valla al fondo del campo...

¡Se encendieron todas las luces del campo de fútbol!

–¿¡Pero qué...!? –exclamó el guardia de seguridad, deslumbrado.

Se escuchó una voz a través de la megafonía.

Una voz inconfundible.

Una voz de pito.

–¡Jorge, no tenés escapatoria! ¡La policía te está rodeando! ¡Entregate!

Era el doctor Bianchi.

Inmediatamente, se escuchó la voz del ayudante Romero:

–¡Ya oíste al director: estás rodeado!

Jorge miró a su alrededor, asustado.

–¡Es mentira! –replicó–. ¡No hay nadie!

De golpe, se encendieron en la zona del aparcamiento las luces de un coche de la policía.

–Ah, pues era verdad lo de la policía –dijo Jorge.

Una docena de personas aparecieron en un extremo del campo.

En cabeza del grupo, el teniente Balzaretti y el sargento Rojas.

Ambos se tocaron el bigote y saltaron la valla que los separaba del fugitivo.

–¡Quedás detenido por robo! –advirtió Balzaretti.

–¡Con el agravante de que sos un agente de seguridad! –añadió Rojas.

Jorge levantó las manos.

–¡No puede ser! –exclamó–. ¡Si es que nada me sale bien! ¡Soy un perdedor! ¡Un yeta!

–¡No sos yeta! –dijo Balzaretti–. ¡Sos un vulgar ladrón!

–Vulgar tampoco –protestó–. Soy... ¡el ladrón del obelisco mágico!

–¡Eres una vergüenza para el colegio, Jorge! –exclamó alguien detrás de los policías.

Era... Bernardo.

Allí estaba, junto a mi padre y Esteban.

–¡Papá! –exclamé–. ¿De dónde salís todos?

–¡Helena nos avisó hace un rato! –respondió mi padre.

–Ya os dije que no tenía escapatoria –dijo Helena–. Por eso llegué tarde a la reunión; porque, cuando me di cuenta de lo que estaba pasando, avisé a mi padre y al tuyo, y al director del colegio, y a la policía...

–¡Francisco, cariño, si ya sabía yo que tú no eras el ladrón! –dijo mi padre, acercándose para abrazarme.

–Yo también lo sabía –dijo Esteban.

–Y yo –dijo Tomeo.

–¡Cómo vas a ser vos el ladrón, con esa carita de valiente! –exclamó Rosita.

Ahora resulta que todos sabían que yo era inocente.

Qué morro.

Pensé que, en el fondo, la única que de verdad había creído en mí todo el tiempo había sido Helena.

Y que el resto...

Bueno, qué más da.

No le iba a dar más vueltas.

Por suerte, todo había salido bien.

El sargento Rojas le puso unas esposas a Jorge.

–Quedás detenido por robo con alevosía y nocturnidad –le dijo–. Tenés derecho a guardar silencio y a un abogado. Todo lo que digas podrá ser usado en tu contra.

–Mola –dijo Camuñas señalando las esposas.

El teniente abrió la bolsa de deportes y se aseguró de que allí estaba el obelisco.

–Habrá que vigilarlo bien hasta el partido de mañana –dijo–, para que no vuelva a ocurrir nada extraño.

Jorge no se movía.

Estaba cabizbajo.

Parecía muy triste.

De alguna forma, me sentí identificado con él.

Alguien a quien le gustaba muchísimo el fútbol.

Y que no había conseguido ganar nunca.

Vale que yo había ganado algún torneo. Pero ahora llevaba más de tres meses sin marcar, y todos se reían de mí.

Además, sabía perfectamente que Jorge no quería el obelisco para venderlo ni para sacar dinero ni nada de eso.

Lo único que quería era ganar un trofeo por una vez en la vida.

Mientras le observaba, recordé la jugada de la final que había explicado el Maestro Sosa.

Y las palabras del propio Jorge: «No es penalti».

Si se hubiera callado, posiblemente habría ganado aquel partido. Y el torneo. Y habría sido el héroe.

Me vino una idea a la cabeza.

Sabía que seguramente me iba a meter en un lío, pero aun así lo dije:

–Perdón, teniente Balza, es que hay una cosa que...

–¿Qué pasa ahora?

–Pues que en realidad el obelisco lo hemos robado todos –dije.

–¿¡QUÉ!?

Mis compañeros me miraron como si me hubiera vuelto loco.

–¿Pero qué dices? –me preguntó Toni.

–A ver si le ha afectado el golpe que se ha dado antes... –dijo Anita.

–Sé muy bien lo que estoy diciendo –continué–. Jorge no es el único culpable. El obelisco lo hemos robado entre todos.

–No sé de qué estás hablando –dijo Camuñas.

–Pues muy sencillo –insistí–. Helena y Rosita tuvieron la idea. Luego, Camuñas robó las llaves. Toni las escondió. Los demás estuvieron vigilando. Y yo mismo bajé a la sala de trofeos a por el obelisco. Allí me encontré con Jorge. La verdad es que al final lo robamos... entre todos.

–Yo casi no vigilé –dijo rápidamente Angustias.

–¿Adónde quieres ir a parar, Francisco? –me preguntó mi padre.

Crucé una mirada con Jorge.

–Pues a que si le detienen a él... deberían detenernos a todos –dije.

–Este pibe es un liante –dijo el teniente.

–¿Por qué haces esto? –me preguntó Jorge.

Me encogí de hombros y respondí:

–No es penalti.

No sé si me entendió, pero yo sabía muy bien lo que estaba haciendo.

–No vamos a detener a unos niños porque vos lo digás –replicó el teniente.

–Pues mucho mejor –dije–. No detengan a nadie. Tampoco a Jorge. Al fin y al cabo, el obelisco no ha salido en ningún momento del colegio.

Se creó un silencio repentino.

Balzaretti y Rojas se miraron.

Helena, dándose cuenta de lo que estaba pasando, dijo:

–Pakete tiene razón. No ha habido robo. El obelisco sigue aquí. Es más... Lo único que hizo Jorge esta tarde fue guardarlo en la parte inferior de la vitrina para que estuviera más seguro y nadie se lo llevara.

–¡Pero si hace un instante estaba huyendo con él! –replicó el teniente–. Todos lo hemos visto.

–No, no –dijo Helena–. No estaba huyendo. Estaba... trayendo el obelisco al campo de fútbol... para la final de mañana, ¿verdad, Jorge?

El guardia de seguridad siguió la corriente a Helena.

–Sí, sí... –dijo–. Yo solo estaba trayendo el obelisco al campo para la final. Creo.

Puede que me equivocara, pero Jorge no era un delincuente. Solo alguien a quien le gustaba mucho el fútbol... y que había tenido mala suerte.

Si algo había aprendido en este viaje, era lo que había dicho el Maestro Sosa: que nada es lo que parece a primera vista. Y que la gente puede ser muchas cosas al mismo tiempo.

Jorge podía ser un ladrón.

Y también una buena persona.

Igual que nosotros.

Miré a mis compañeros.

–O nos detiene a todos –dije–, o no detiene a nadie. Usted elige, teniente.

–No me gusta que me digan lo que tengo que hacer –protestó Balzaretti–, y menos un mocoso.

Helena señaló a Jorge:

–Mírele, señor teniente. Todo el mundo tiene derecho a una pequeña equivocación. Y además está muy arrepentido.

–No sé, no sé... –murmuró el teniente–. ¿Vos qué opinás, Rojas?

–¿De verdad estás arrepentido? –le preguntó el sargento a Jorge.

–Arrepentidísimo –contestó él poniendo cara de bueno.

–Papá –le pidió Helena a su padre–, di algo.

–Sí... Eh, bueno... Así visto –dijo Bernardo–, no se ha cometido ningún delito grave. Y el obelisco sigue aquí. A lo mejor no es necesario detener a nadie.

–Hombre –dijo Balzaretti rascándose el bigote–, si el colegio no presenta ninguna denuncia...

–Y de paso –añadió Rojas–, la Loma se plantea la posibilidad de admitir a nuestros hijos para el próximo curso.

–¿Eh? –exclamó Bernardo–. ¡Pero eso no tiene nada que ver ahora!

–Hombre, según se mire –insistió Rojas–, porque si mi teniente y yo vamos a hacer un esfuerzo, pues el colegio también podría plantearse una admisión por la vía directa... Es que a mi chiquito le hace mucha ilusión estudiar aquí.

–Bien dicho, Rojas –dijo Balzaretti–. O todos nos esforzamos, o no hay caso. Yo al susodicho le veo arrepentido, y podríamos zanjar esto con una multa...

–Yo pago la multa encantado –pidió Jorge–. Por favor, por favor.

–Es que estas cuestiones ya no dependen de mí solamente... –empezó a decir Bernardo.

–¡Dependen del director del colegio! –le cortó la voz del doctor Bianchi, que volvió a sonar por los altavoces.

Su voz de pito no provocó ninguna risa esta vez.

Al contrario.

Todos estábamos muy atentos a lo que decía.

–Por parte de La Loma, estaríamos dispuestos a no presentar ninguna denuncia y olvidar todo –aseguró–. Aunque, evidentemente, Jorge no podría seguir trabajando aquí.

–Por supuesto –dijo Jorge–. Lo entiendo perfectamente. Y se lo agradezco muchísimo.

–Y en cuanto al otro asunto –siguió el director–, la admisión de alumnos no es de mi competencia. Eso depende del Consejo Escolar.

–Del cual tengo el honor de ser presidente –dijo Bernardo, orgulloso–. Me comprometo a presentar la solicitud y recomendar el ingreso de los pequeños Balzaretti y Rojas.

–Balzarettis, en plural –le corrigió el teniente–. Tengo cinco niños lindos.

–¿Cinco? –preguntó Bernardo tragando saliva.

–Sí, ¿algún problema?

–Al contrario... Cuantos más, mejor –dijo Bernardo–. Estaremos encantados de contar con todos. Aquí somos como una gran familia.

De nuevo, el teniente y el sargento se miraron.

–Pues si el colegio no presenta denuncia –dijo Balzaretti–, no hay motivo para detener a nadie.

Rojas le quitó las esposas a Jorge, que aún no se lo podía creer.

–Muchas gracias, agentes –dijo–. Y, sobre todo, muchas gracias a ustedes, chicos.

–Ha sido un placer ayudarte –dijo Camuñas.

–¡Pero si tú no has hecho nada! –protestó Helena.

–¿Cómo que no? He estado aquí callado, dando mi apoyo silencioso.

Jorge nos fue abrazando a todos y prometió que nunca volvería a robar.

El doctor Bianchi siguió hablando a través de los altavoces.

Parece que le había cogido el gusto.

Dijo que era un gran día para La Loma y que todos habíamos aprendido una lección valiosa.

Y muchas otras cosas que ahora no recuerdo.

Yo había dejado de prestar atención.

Solo podía pensar en una cosa: ya no tenía que irme a primera hora con mi padre a España.

Podía quedarme con mis compañeros.

Miré a Helena con hache.

Al día siguiente íbamos a jugar un partido.

La final del Torneo del Obelisco.

Helena en un equipo.

Y yo en el contrario.

El sol brillaba en lo alto.

El campo de La Loma estaba completamente lleno.

En el palco de honor, presidía el partido el Maestro Sosa, muy serio.

Junto a él se encontraban el doctor Bianchi, el ayudante Romero, Bernardo, Esteban, mi padre, Balzaretti y Rojas con sus familias, y otras personas que no sé quiénes serían.

Detrás de ellos, custodiado por una docena de policías de uniforme, un objeto de jade blanco que brillaba a la luz del sol.

El obelisco.

Yo estaba en el banquillo junto a Felipe y Alicia.

–No te preocupes –me dijo Felipe–. Luego saldrás seguro.

–Además, la aportación del banquillo puede ser fundamental en un partido como este –recalcó Alicia.

–Ya, ya... Pero, de momento, otra vez suplente –respondí.

Crucé una mirada con uno de los espectadores: Jorge.

Me dio la impresión de que era la persona que mejor entendía cómo me sentía.

Llevaba más de tres meses sin marcar.

Cada vez jugaba menos. Y no sabía qué me estaba ocurriendo.

Entonces, una música empezó a sonar por los altavoces.

Saltaron al campo los jugadores de La Loma.

Y, por supuesto, lo hicieron cantando:

> ¡En el campo de fútbol alzamos los corazones!
> ¡Saltamos, corremos, volamos como dragones!
> ¡Con el balón en los pies hacemos un poema!
> ¡Somos del colegio La Loma su emblema!

Los espectadores se pusieron en pie y aplaudieron con fuerza.

–¡Bravo!

–¡La Loma a tope!

–¡Son los mejores!

La entrenadora Besuievsky se echó a un lado su larga melena blanca y levantó la mano saludando. Todos los jugadores de La Loma hicieron lo mismo.

Entre ellos distinguí a Ezequiel, con su brazalete de capitán.

También a Rosita, que sonreía de oreja a oreja.

Y, por supuesto, a Helena con hache.

Se me hacía muy raro verla allí, vestida con los colores del equipo rival.

Casi me alegré de no tener que jugar contra ella por el momento.

La árbitra era una chica con una larga coleta morena y gafas enormes sujetas por una cinta negra.

Señaló el centro del campo.

Y todo el mundo se preparó para el comienzo del partido.

La gran final.

Con el obelisco mágico en juego.

La colegiada pitó.

Piiiiiiiiiiiiiiiiiiiiiiiiiiii...

Ezequiel sacó de centro.

Pasó a Rosita.

Ella retrocedió al número 4 de su equipo.

A su vez, el defensa se la dio rápidamente a la portera.

La guardameta salió del área, levantó la vista y le pasó la pelota a un lateral, un chico muy delgado que, en cuanto tuvo el balón, echó a correr por la banda.

Marilyn corrió para intentar cortar la subida, pero el lateral enseguida pasó el balón a otro compañero, el número 10, que, antes de que nadie saliera a cubrirle, le metió un pase al primer toque a Helena.

Ella avanzó unos metros.

Y le dio un pase raso a Ezequiel, que la controló al borde del área.

¡Increíble!

La habían tocado todos los jugadores del equipo.

En ocho pases, habían circulado el balón por todo el campo.

Y ahora lo tenía de nuevo el capitán, a pocos metros de nuestra portería.

Se dio la vuelta y amagó un chut.

Tomeo intentó cubrir el disparo.

Sin embargo, Ezequiel se giró hacia el otro costado y se quedó solo delante de la portería.

Camuñas salió a por él moviendo los brazos.

–¡Míiiiiiiiiiiiiia! –gritó tratando de asustarle.

Pero el delantero de La Loma no se puso nervioso en absoluto.

Al revés.

Esperó a que Camuñas saltara.

Y empujó el balón con toda tranquilidad.

La pelota salió disparada.

Pasó por debajo de Camuñas...

Y entró en la portería.

–¡GOOOOOOOOOOOOOOOOOOOOOOOOOOL!

Los gritos se oyeron en varios kilómetros a la redonda.

La gente en las gradas aplaudía, gritaba, se abrazaba.

La verdad es que había sido un golazo.

En un tiempo récord.

Miré el marcador.

Minuto 1 de la primera parte.

La Loma, 1 - Soto Alto, 0.

Imposible empezar peor.

–¡Vamos, chicos, no pasa nada! –dijo Alicia intentando animar al equipo.

Pero los gritos de celebración impedían que se la escuchara.

Era totalmente imposible oírla.

Cientos, tal vez miles de espectadores gritaban al mismo tiempo:

–¡Lomaaaaaaaaaaaaaaaaaaaa! ¡Lomaaaaaaaaaaaaaaaaaa!

En el palco, el teniente daba botes de alegría, rodeado de cinco niños que se le habían subido encima y que debían ser sus hijos.

El sargento Rojas y el ayudante Romero se abrazaban y también gritaban enfervorecidos.

Incluso el doctor Bianchi estaba en pie, fuera de sí, aplaudiendo y gritando.

El único que no movía ni un músculo era el Maestro Sosa.

–Por nosotros no se preocupe –dijo mi padre–. Puede celebrar el gol sin problemas.

–Si ya estamos acostumbrados –dijo Esteban–. Usted disfrute, maestro.

–Yo celebro por dentro –respondió él sin inmutarse.

–Ah, muy bien –dijo mi padre, desconcertado–. Cada uno tiene su estilo.

En el campo, la árbitra indicó a los jugadores que se preparasen para reanudar el partido.

Sin embargo, Helena y Ezequiel se abrazaban entusiasmados, celebrando el gol.

Venga a abrazarse.

Y a celebrarlo.

Ya no podía más.

Salí del banquillo.

–¡Árbitra, ya está bien! –exclamé–. ¡Salta a la vista que están perdiendo tiempo a propósito!

Al oírme, Helena se giró hacia mí, sorprendida.

Yo esquivé la mirada y me dirigí de nuevo a la árbitra.

–¡Pérdida de tiempo clarísima! –insistí.

–No diga boludeces, jugador. Estamos en el minuto uno de partido –me contestó la colegiada, haciéndome un gesto para que me callase–. Usted al banquillo y con la boquita cerrada.

–Qué injusticia –dije.

Y me senté de nuevo.

–¿Estás bien? –me preguntó Felipe.

–Fenomenal –respondí–. Nos han metido un golazo nada más empezar. Yo estoy de suplente porque llevo más de tres meses sin marcar. Y para colmo... esos dos venga a... abrazarse delante de todo el mundo. Estoy genial.

Unos segundos después, Toni sacó de centro.

Alicia de nuevo trató de dar ánimos.

–¡Venga, equipo, vamos a demostrar quiénes somos! –exclamó.

El balón le llegó a Angustias.

Y antes de que pudiera reaccionar, Rosita se echó encima de él y se lo arrebató.

La hermanastra había sido rapidísima.

Angustias cayó al suelo, más del susto que del empujón.

–Yo creía que éramos amigos –se lamentó Angustias desde el suelo.

–En el campo somos rivales, pibe –contestó Rosita, dejándole atrás y avanzando con el balón.

–¡Árbitra, cegata, ha sido falta! –gritó Alicia

La colegiada se llevó el dedo índice a los labios y le indicó a nuestra entrenadora que se mantuviera en silencio.

–¡Habrase visto! –protestó Alicia–. Encima me manda callar.

Rosita llegó con la pelota al lateral del área y, antes de que Ocho pudiera evitarlo, pegó un pase medido al centro del área.

Tomeo se preparó para despejar el balón, que volaba directo hacia él.

Pero en el último segundo apareció Ezequiel, se apoyó en Tomeo y... remató de cabeza.

Fue un remate impresionante.

Casi perfecto.

El balón salió disparado hacia la escuadra de la portería.

Camuñas se lanzó, pero era imparable.

El balón entró limpiamente.

De nuevo se escuchó un grito atronador en la grada:

–¡GOOOOOOOOOOOOOOOOOOOOOOOOOL!

Esta vez había sido incluso más rápido y más espectacular que el anterior.

Alicia pareció volverse loca.

–¡Ha sido falta del delantero sobre el defensa! –gritó–. ¡Falta, falta, falta!

–Tranquila, mujer, que te va a dar algo –le pidió Felipe.

–¡Pero cómo voy a estar tranquila, si se ha subido encima de Tomeo! –protestó Alicia, indignada.

Entre los gritos de celebración y la euforia de todos los presentes, yo solo podía ver una cosa: Ezequiel y Helena cruzando el campo agarrados de la mano. Sonriendo y saludando a todos. Parecían como esas parejas felices de los anuncios que van pegando saltitos, corriendo, mientras todo el mundo aplaudía y los vitoreaba.

No quería seguir mirando.

Volví a levantar la vista hacia el marcador.

Minuto 2.

La Loma, 2 - Soto Alto, 0.

Y aún no había llegado lo peor.

32

El balón pasó rozando el larguero.

Un «huuuuuuuuuuuuuuuuuy» recorrió la grada.

La gente parecía disfrutar de lo lindo.

Aplaudían a su equipo.

Gritaban.

Incluso cantaban:

> ¡La Loma el trofeo ganará,
> los gallegos pelados se irán!

Y a continuación, todos al mismo tiempo, gritaban:

–¡Lomaaaaaaaaaaaaaaaaaaaa! ¡Lomaaaaaaaaaaaaaaaaa!

En el campo ocurrió lo mismo que con el Black Bull.

Ellos atacaban.

Y nosotros defendíamos como podíamos.

Con una diferencia muy importante: La Loma jugaba mucho mejor al fútbol que los norteamericanos.

Tocaban el balón, lo movían, regateaban.

Era un verdadero espectáculo verlos jugar.

A medida que pasaban los minutos, la diferencia se hacía aún más grande.

–¿Pero qué nos pasa? –preguntó Alicia, que no paraba quieta en el banquillo–. Es como si se nos hubiera olvidado jugar al fútbol.

–Mujer, lo que pasa es que son mucho mejores –dijo Felipe.

–De eso nada –insistió ella, y se dirigió al campo tratando de dar ánimos–. ¡Vamos, chicos! Tenemos que jugar en equipo... ¡Somos el Soto Alto...! ¡Pero Tomeo, Angustias, Anita, no os quedéis mirando al rival con cara de bobos!

–Es que da gusto verlos jugar –replicó Tomeo.

–Son muy buenos –dijo Anita.

–Y cantan genial –añadió Angustias.

Mis compañeros tenían razón: cada jugada que hacía La Loma era una exhibición de fútbol.

En el palco, incluso mi padre y Esteban les aplaudían.

Hacían paredes.

Triangulaban.

Remataban una y otra vez desde todas las posiciones.

Y, por si fuera poco, de vez en cuando la Besuievsky les hacía una señal y los siete jugadores en el campo entonaban una estrofa de la cancioncita:

> ¡Con el balón en los pies hacemos un poema!
> ¡Somos del colegio La Loma su emblema!

Alicia no podía más.

Al escuchar la canción por tercera vez, saltó al borde del terreno de juego gritando a la colegiada:

–¡Ya está bien, árbitra! ¡Los jugadores no pueden cantar dentro del campo! ¡Es una falta de respeto!

–Según el reglamento, cantar es perfectamente legal –le contestó–. No están insultando a nadie.

–¡Pero eso no... no puede ser! –insistió Alicia–. ¿Esto es un partido o un concierto? ¡Qué vergüenza!

–Vuelva al banquillo o le sacaré tarjeta –le advirtió.

–Encima me amenaza –dijo Alicia mirando a Felipe–. ¿Lo has oído? Di: ¿lo has oído?

–Bueno, tampoco ha sido una amenaza –intentó decir el entrenador–. Además, que una canción no le hace daño a nadie.

–¡Ah, muy bonito! ¡Nos golean! ¡Se ríen de nosotros! ¡Y tú... tú te pones de su parte!

Aquello tenía muy mala pinta.

Si seguíamos así, la goleada podía ser de escándalo.

Cuando estábamos a punto de llegar al descanso, Marilyn salió a cortar un ataque de Ezequiel, que llegaba con el balón controlado.

Los dos capitanes se miraron fijamente por un instante.

Ezequiel amagó una vez, dos veces... Y cuando parecía que iba a intentar un regate, de pronto golpeó el balón, que pasó entre las piernas de Marilyn.

¡Intentó hacerle un caño!

Pero ella se movió a la derecha para cortarle el paso.

Le tocó con el hombro.

Y Ezequiel cayó al suelo.

La colegiada no lo dudó ni un instante.

Pitó falta a favor de La Loma.

Una falta peligrosísima al borde del área.

Alicia, una vez más, saltó fuera de sí.

–¡Pero si no le ha tocado! ¡Árbitra, estás ciega! ¡Ajústate las gafas, que no das una!

De inmediato, la árbitra se dirigió hacia Alicia y le sacó tarjeta amarilla.

–Por menosprecio –le dijo.

Felipe trató de calmar los ánimos.

–Disculpe, que es muy temperamental –dijo–. Usted tranquila, que yo me encargo.

–A mí no me diga que me tranquilice –contestó la colegiada, que parecía muy enfadada–. Hala, tarjeta amarilla para los dos.

–¡Pero si yo no he hecho nada! –protestó Felipe–. ¡La voy a denunciar... a... al colegio de árbitros!

Sin dudarlo, le sacó tarjeta roja al entrenador.

–¡Esto es el colmo! –exclamó él.

–¿Lo ves? –dijo Alicia–. ¡Si no tiene ni idea, te lo estoy diciendo! ¡Es un cero a la izquierda!

–¡Se acabó! –zanjó la colegiada, harta, y les mostró la tarjeta roja a ambos–. ¡Expulsados los dos!

¡Había expulsado a Felipe y Alicia!

De inmediato, los espectadores empezaron a abuchear a los entrenadores.

–¡Fueraaaaa!

–¡Gallegos, listillos!

–¡A la calle!

Esteban bajó al campo para calmar los ánimos.

A regañadientes, se llevó a Felipe y Alicia hacia el vestuario.

En el palco, mi padre parecía un poco avergonzado.

–No ser primera vez que expulsan entrenadores, ¿verdad? –murmuró el Maestro Sosa.

–Hummmm... Alguna que otra vez ya los han expulsado –reconoció mi padre.

Mientras, en el terreno de juego, Ezequiel se acercó al balón, preparado para tirar la falta.

Camuñas colocó la barrera.

–¡Más juntos... y más a la derecha! –exclamó.

Mis compañeros se apretaron para tratar de evitar que el balón pudiera pasar entre ellos.

La colegiada levantó la mano.

Se hizo el silencio en el campo.

La expectación era enorme.

Me puse en pie delante del banquillo para verlo mejor.

Camuñas estaba muy concentrado.

Sonó el silbato.

Piiiiiiiiiiiiiiiiiiiiiiiii...

Ezequiel tomó carrerilla.

Se acercó al balón

Y en lugar de chutar...

Pasó el balón hacia atrás.

Allí apareció Helena con hache.

¡Y chutó con el pie derecho!

El balón salió disparado hacia la portería.

Camuñas voló para intentar atraparlo.

Pero solo pudo rozar la pelota con los dedos.

El balón entró en la portería y golpeó la red.

–¡GOOOOOOOOOOOOOOOOOOOOOOOOOOOOOL!

La gente estalló en gritos y más gritos.

Más aún que en los dos primeros goles.

Los jugadores de La Loma lo celebraron como locos.

Todos menos una.

Esta vez, Helena no se abrazó a nadie ni gritó ni aplaudió. No hizo ningún gesto de celebración.

Supongo que debía ser muy extraño para ella meterle un gol al Soto Alto.

Yo, desde luego, me sentí muy raro.

Helena estaba jugando con La Loma y debía hacer lo mejor para su equipo.

Pero aun así, dolía.

La colegiada señaló el final de la primera parte.

La Loma, 3 - Soto Alto, 0.

Nos estaban pasando por encima.

No teníamos entrenadores.

Y Helena con hache acababa de meternos un golazo.

33

–Necesitamos un entrenador –dijo Marilyn.

–Más bien necesitamos un milagro –dijo Angustias.

El ambiente en el vestuario era desolador.

–Si es que son buenísimos –dijo Tomeo.

–Y encima nos han expulsado –dijo Alicia–, por culpa de Felipe.

–¿¡Por mi culpa!? –exclamó él, que no podía creerse lo que había oído–. ¡Pero si llevo todo el partido pidiendo que te tranquilices!

–Te recuerdo que eres tú el que has empezado a meterte con la árbitra –insistió Alicia.

–Lo he hecho para defenderte...

–Yo no necesito que me defiendas –le cortó Alicia–. Y además, primero te ha expulsado a ti.

–Bueno, bueno, eso da igual –intervino Esteban–. Lo importante ahora es que nos preparemos para la segunda parte y que tratemos de remontar.

–O, por lo menos, que no nos metan más goles –dijo mi padre, que también estaba en el vestuario.

–¿Y cómo vamos a hacer todo eso sin entrenador? –preguntó Marilyn.

Nadie respondió.

Nos miramos sin saber qué decir.

Parecía que Alicia iba a hablar, pero entonces alguien llamó a la puerta.

–¿Se puede?

Y se asomó Bernardo.

Sonreía de oreja a oreja.

–Perdón que interrumpa –dijo.

–Hombre, Bernardo –dijo mi padre al verle–. ¿A qué vienes? ¿A espiar el equipo rival?

–Al contrario –dijo él–. Si me permitís, tengo dos sorpresas para vosotros.

–¡Me encantan las sorpresas! –dijo Camuñas.

–A mí las sorpresas me ponen un poco nervioso –murmuró Angustias.

–Lo primero –dijo Bernardo–: creo que no tenéis entrenador... y se me ha ocurrido una solución.

Todos le miramos con curiosidad.

–Hay una persona que tal vez podría ayudaros en la segunda parte –continuó–. Es una persona que tiene el título de entrenador. Y que está dispuesto a sentarse en el banquillo del Soto Alto, si os parece bien.

Abrió la puerta despacio.

Y delante de nosotros apareció...

¡Jorge!

–Buenas tardes, pibes –dijo.

–Pero... pero... –empezó a decir Tomeo.

–¡Pero si es el guardia de seguridad! –exclamó Alicia, sin entender nada.

–¡Y el ladrón del obelisco! –dijo Camuñas.

–¡Y un perdedor! –añadió Toni.

–¡Y un yeta! –recordó Ocho.

–¿Eso qué significa? –preguntó Felipe.

–Que trae mala suerte –explicó Anita.

–Vale, vale, de acuerdo –admitió Jorge–. Soy todo eso que habéis dicho. Nunca gané nada. Pero tengo el título de entrenador, y conozco al equipo de La Loma mejor que nadie... Y no tenéis otra alternativa, que yo sepa.

–En eso lleva razón –dijo mi padre.

–¿Por qué quieres ser nuestro entrenador? –pregunté yo.

Jorge entró al vestuario y cerró la puerta detrás de él, como si no quisiera que alguien oyera lo que iba a decirnos.

–Pues porque mi sueño es ganar el Trofeo del Obelisco –dijo–. Y creo que ustedes y yo podemos conseguirlo juntos.

–Eso es muy bonito –dije–, pero no sé si te has dado cuenta de que vamos perdiendo por 3 a 0, y que ellos están jugando muchísimo mejor que nosotros.

–Ya, pero yo conozco su punto débil.

–¿Cuál es? –preguntó Tomeo, ansioso.

–¿El balance defensivo? –dijo Felipe.

–¿El juego aéreo? –preguntó Camuñas.

–¿El repliegue?

–¿Los balones largos?

–¿Los saques de esquina?

–Nada de eso –cortó Jorge–. Su principal punto flaco es que... se creen muy buenos. Se creen mejores que nadie.

–Pues vaya cosa –dijo Tomeo decepcionado–. Si es la verdad.

–No señor –replicó Jorge–. Nadie tiene derecho a creerse mejor que los demás. Ellos están muy confiados, y eso justamente es lo que podemos aprovechar para darle la vuelta al partido. El fútbol es un juego de equipo. Y, por lo que he visto, ustedes son un verdadero equipo. Anoche me ayudaron a mí. Y ahora quiero ayudarlos yo. Permítanme que los ayude a ganar el Trofeo del Obelisco, por favor.

–A mí me ha convencido –dijo Marilyn.

–Y a mí también.

–Y a mí.

–Además, no tenemos otra alternativa –repitió mi padre.

–Vale, vale –dijo Alicia–. Si todos estáis de acuerdo, este señor, que es guardia de seguridad y un ladrón, será vuestro entrenador en la segunda parte... Pero Felipe y yo seguimos siendo los entrenadores titulares, y si hay que hacer un cambio o tomar una decisión importante, nos tendrá que consultar a nosotros.

–Hecho –dijo Jorge.

–Perfecto –sentenció Esteban–. Pues ya tenemos entrenador. Bienvenido al Soto Alto.

–¿Ahora por dónde empezamos? –preguntó Marilyn.

Jorge nos miró uno a uno.

–Lo primero es sorprenderlos nada más salir –dijo–. Nada de quitarse el balón de encima con un pelotazo y nada de balones largos como en la primera parte. Vamos a jugarles con su misma moneda: quiero toque, toque y toque. ¡Ustedes saben hacerlo, los vi en el partido contra el Black Bull!

–Toque, toque y toque –repitió Tomeo, mentalizándose.

–Y para continuar, vamos a hacer algunos cambios importantes en la alineación –siguió–. A ver, muchachito, ¿Ocho, verdad? Vas al banquillo y entra Pakete en tu lugar.

–Sí, señor.

Por fin iba a tener mi oportunidad en la final.

–Estooooo, perdón –intervino Alicia–. A lo mejor no ha entendido bien eso de que nosotros seguimos tomando las decisiones.

–Por supuesto –dijo Jorge sin hacerle mucho caso, y siguió dando instrucciones–. Pakete, vos te ponés en punta, con Toni. Y detrás de ti, en el centro del campo, tengo dos nuevos fichajes preparados.

–¿Nuevos fichajes también? –preguntó Felipe–. Creo que se está pasando un poco...

Bernardo sonrió y dijo:

–Esta es la segunda sorpresa.

Que Jorge se hubiera convertido en nuestro entrenador era algo muy extraño.

Pero lo que ocurrió a continuación...

¡Eso sí que no se lo esperaba nadie!

34

Helena y Rosita llevaban puestas...

¡Las camisetas del Soto Alto!

–Pero... pero... vosotras... –dije al verlas.

–Os echábamos de menos –dijo Helena.

–Si nos aceptan –añadió Rosita–, nos encantaría jugar con ustedes.

–¡Esto sí que no lo había visto en mi vida! –exclamó mi padre.

–Yo tampoco –reconoció Felipe.

Estábamos en el campo, delante del banquillo.

Mirando a Helena y Rosita como si fueran una aparición.

–¿Os ha gustado la segunda sorpresa? –preguntó Bernardo.

–Ya te digo –respondió Camuñas.

–¿Y no ha sentado mal en La Loma que os vayáis? –preguntó Alicia.

–Tienen jugadores de sobra –dijo Rosita–, y van ganando por tres. La Besuievsky nos ha dicho que le da igual, que ya suplicaremos volver al equipo.

–Y que, por supuesto, nos olvidemos de levantar el obelisco cuando ganen el torneo –añadió Helena.

–A eso me refería –señaló Jorge–. Dan por hecho que ya han ganado.

Marilyn, como capitana, dio un paso al frente y dijo:

–Bienvenidas al equipo... de nuevo.

–Gracias –dijo Helena.

–Era muy raro verte jugar contra nosotros –le dije a Helena.

–Yo lo he pasado fatal cuando he marcado el gol –reconoció ella.

–Bueno, dejémonos de sentimentalismos –intervino Toni–. Entonces, ¿quién sale en el segundo tiempo?

–Lo mejor es que, por el momento, Anita y Angustias dejen su puesto a Helena y Rosita –dijo Jorge–. Así podemos jugar con un 2-2-2 más ofensivo...

–Un momento –interrumpió Alicia–. Esta es una decisión que nos corresponde a nosotros. Una cosa es que te sientes en el banquillo y otra que nos ignores completamente.

–No era mi intención –dijo Jorge–. Decidan ustedes: ¿quién sale en la segunda parte?

Alicia y Felipe se miraron.

–Yo a priori diría que... –empezó a murmurar Felipe– bueno... que la idea del entrenador suplente no está mal...

–Que sí, que sí –asintió Alicia–. Reconozco que está bien pensado: entran Helena y Rosita. Jugad como un equipo, chicos, y no olvidéis quiénes somos.

–¡Los Futbolísticos! –soltó Rosita.

Todos la miramos con los ojos muy abiertos.

–¿Eso qué es? –preguntó Alicia.

–Pues... –trató de explicar Rosita al darse cuenta de que había metido la pata– es una expresión de acá... Somos... o sea... somos... los Futbolísticos del Soto Alto.

–Pues eso –zanjó Marilyn–. Somos el Soto Alto.

–Y jugamos al toque, toque, toque –insistió Jorge–. ¿Está claro?

–¡Clarísimo! –respondimos todos.

Nos encaminamos hacia el centro del campo para comenzar la segunda parte.

Marilyn se acercó a Rosita y le dijo en voz baja:

–Sabes que es un pacto secreto, ¿verdad?

–Sí, sí, perdón.

–¿Y que se dice «los Futbolísimos»?

–Claro, lo he dicho mal a propósito... para despistar.

Los siete titulares ocupamos nuestras posiciones. La colegiada se acercó muy seria.

–Ya me han informado de los cambios de jugadores para esta segunda parte –anunció–. Me parece todo muy irregular. Sin embargo, como se trata de un torneo amistoso y los dos equipos están de acuerdo, no tengo nada que objetar. Juego limpio y que gane el mejor.

–Todos sabemos quién es el mejor –dijo Ezequiel.

Sus compañeros se rieron al escucharle.

Por primera vez, sus palabras no me impresionaron.

Empecé a pensar que tal vez Jorge tenía razón: estaban demasiado confiados.

Crucé una mirada con Helena.

Me alegraba muchísimo de volver a estar con ella en el mismo equipo. Había pasado mucho tiempo desde la última vez que jugamos juntos.

Toni y yo nos acercamos al círculo central para sacar.

–Oye, Toni –le dije–. Te quería decir una cosa antes de empezar.

–Ya, ya –me contestó–. No te preocupes. Yo me ocupo de que marques gol. Y después del partido, tú cumples tu parte del trato. Tendrás que esforzarte, porque ese Ezequiel está muy pesado y no hace más que dar abracitos a Helena y agarrarla de la mano.

–No –dije.

–¿Cómo que no? –preguntó sin entender.

–Pues que no le voy a hablar bien de ti ni te voy a ayudar a que Helena sea tu novia –insistí.

–Tenemos un trato –recordó–. El trato del Río de la Plata.

–Pues a partir de este momento tenemos otro trato –dije, y miré hacia el palco, donde el obelisco seguía custodiado por los policías–: el pacto del Obelisco Blanco.

–¿Y en qué consiste? –preguntó.

–Este nuevo pacto es mucho mejor –dije–. Yo no te ayudo con Helena, pero tú sí me ayudas a meter gol.

–¿Y por qué voy a ayudarte si tú no cumples tu parte?

–Porque jugamos en el mismo equipo –respondí–. Y porque somos los Futbolísimos.

–¡A ver, esos dos, que es para hoy! –gritó la colegiada.

No había tiempo para seguir hablando.

Teníamos que sacar de centro y empezar la segunda parte.

Desde el banquillo, Jorge exclamó:

–¡Toque, toque, toque!

Miré el balón delante de mí.

Recordé el primer gol que nos habían metido ellos.

Y pensé: «Nosotros podemos hacer lo mismo, o incluso mejor. Pasar la pelota por todo el equipo. Y luego marcar gol».

–¡Saquen de una vez! –ordenó la colegiada.

Me acerqué al balón.

Le pasé a Toni.

Y empezó una de las jugadas más increíbles de la historia.

Por lo menos, de la historia de los Futbolísimos.

SACO DE CENTRO
HACIA TONI.
ÉL RETROCEDE
EL BALÓN
A ROSITA.
35
ROSITA
LO PASA
A HELENA.
HELENA,
A MARILYN.
MARILYN,
A TOMEO.
TOMEO,
A CAMUÑAS.
AL TOQUE...
¡PERO HACIA
LA PORTERÍA CONTRARIA,
QUE SOLO DAN PASES
HACIA ATRÁS!

ENTONCES TENGO UNA IDEA.

¡ACORDAOS DEL AEROPUERTO!
¡MOLA!

ANTES DE QUE EL BALÓN PUEDA CAER, TOMEO LE DA DE CABEZA HACIA MARILYN.
ELLA LO GOLPEA CON LA PIERNA HACIA ARRIBA.
ROSITA LE PEGA AHORA UN NUEVO CABEZAZO.

LE LLEGA A TONI, QUE LO PARA CON EL PECHO...
Y DIRECTAMENTE LO LANZA DE VOLEA HACIA EL ÁREA RIVAL

¡HEMOS CRUZADO
TODO EL CAMPO
SIN TOCAR EL SUELO!
¡IGUAL QUE EN EZEIZA!

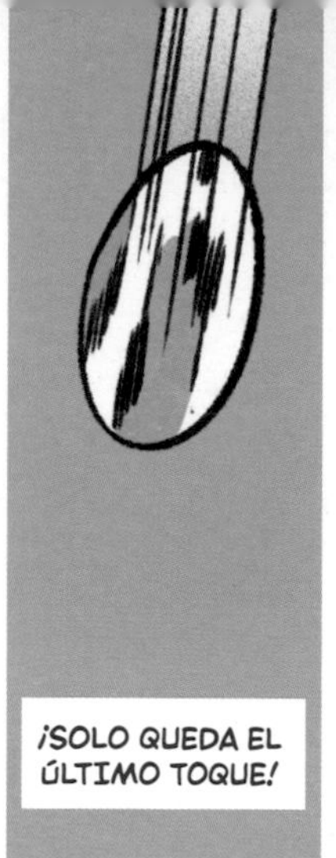
¡SOLO QUEDA EL
ÚLTIMO TOQUE!

EL DEFENSA CENTRAL
Y LA PORTERA TAMBIÉN
CORREN HACIA EL BALÓN.

LOS CUATRO
SALTAMOS
AL BORDE
DEL ÁREA.

EN EL ÚLTIMO INSTANTE,
CUANDO LA PELOTA ESTÁ
A PUNTO DE TOCAR EL SUELO...
HELENA METE EL PIE
Y LE DA CON EL EMPEINE.

HELENA Y YO
CAEMOS AL SUELO,
ELLA ENCIMA DE MÍ.

Y LOS DOS VEMOS...

¡CÓMO EL BALÓN
ENTRA EN LA PORTERÍA!

¡GOOOOOOOOL
DEL SOTO ALTO!

NOS MIRAMOS...

Y NO DECIMOS NADA.

ENSEGUIDA LLEGAN NUESTROS
COMPAÑEROS Y SE TIRAN ENCIMA
DE NOSOTROS PARA CELEBRARLO.

36

–No ha sido exactamente el toque al que yo me refería –dijo Jorge–, pero la verdad es que... ¡ha sido un golazo!

Nadie aplaudió en la grada.

No se esperaban algo así.

Los espectadores se habían quedado mudos.

Excepto mi padre y Esteban, que gritaban y aplaudían entusiasmados.

Y Felipe y Alicia, que estaban asomados por la puerta del vestuario.

–¡Ole, ole y ole! –gritó Felipe.

–¡Equipazo! –exclamó Alicia.

Bernardo, en el palco, no sabía muy bien qué hacer.

Había marcado su hija.

Pero él era el presidente del Consejo Escolar de La Loma.

–Podríamos decir que ha sido un gol de bella ejecución –aseguró, manteniendo la compostura y aplaudiendo tímidamente.

El doctor Bianchi y Romero le miraron con cara de circunstancias.

–Esto de que tus hijas hayan cambiado de equipo en el descanso no es muy apropiado –dijo el director–. ¿No te parece?

–Eso mismo les he dicho yo –respondió Bernardo, intentando disimular–. Les he insistido para que no lo hicieran, pero al fin y al cabo son niñas, ya sabes.

No hubo tiempo para celebraciones.

La colegiada pitó y enseguida se reanudó el partido.

La Loma quería volver a tomar las riendas.

En la primera jugada, llegaron al área y Ezequiel remató con todas sus fuerzas.

Camuñas paró el disparo con ambas manos.

A continuación, tuvieron otras dos ocasiones seguidas, pero Camuñas se lució.

–¡Soy el mejor portero de mi familia! –exclamó orgulloso.

–¡Ánimo, chicos, no se olviden: toque, toque, toque! –repitió una vez más Jorge.

Marilyn corrió por la banda y le pasó a Rosita, que centró a Toni.

Él remató alto y fuerte.

La portera tuvo que estirarse para despejar.

Las cosas habían cambiado.

Ellos seguían teniendo oportunidades.

Pero nosotros también jugábamos.

Ya no estábamos encerrados en nuestro campo.

A la mitad de la segunda parte, aproximadamente, incluso Tomeo se atrevió a subir en una jugada.

Marilyn sacó de banda.

Tomeo recibió el balón y se dijo a sí mismo:

–Toque, toque, toque.

En lugar de quitarse el balón de encima de un patadón, como había hecho otras veces, le pasó a Helena y ella se la devolvió.

Al verse con el balón en los pies nuevamente, siguió adelante unos metros, mientras seguía murmurando:

–Toque, toque, toque.

Hizo otra pared con Rosita.

Dejó atrás a dos rivales.

Y continuó con el balón controlado.

El número 4 de La Loma salió a cerrarle.

Toni y yo nos abrimos a las bandas. Nos cubrían los dos laterales.

Tomeo se puso nervioso; no estaba acostumbrado a subir al ataque. No sabía si pasar, intentar un regate o qué hacer.

Así que hizo lo que nadie se esperaba.

Gritó:

–¡Toque!

Y de repente chutó con todas sus fuerzas, aunque estaba muy lejos de la portería.

El balón se estrelló contra el defensa, que cayó al suelo del impacto.

Tomeo recuperó el balón rebotado y, según le vino, volvió a gritar:

–¡Toque!

Disparó de nuevo.

El balón salió volando. La portera, que no se lo esperaba, lo vio venir directo hacia ella. Se lanzó y despejó con los puños.

Por tercera vez, el balón cayó delante de Tomeo.

Él cerró los ojos y gritó una vez más:

–¡Y toque!

Empalmó un chut tremendo.

Con toda su alma.

La pelota cruzó el área, pasó por encima de la portera, que aún no se había recuperado...

¡Y entró en la portería!

¡Goooooooooooooooooooooooooooool!

¡Golazo de Tomeo!

No había sido una jugada muy elaborada.

Pero había entrado.

Tomeo abrió los ojos y, al ver lo que había conseguido, señaló a Jorge, que no podía creerse lo que acababa de ocurrir, y gritó:

–¡Toque, toque y toque!

Anita, Angustias, Ocho y el propio Jorge saltaron del banquillo y lo celebraron con gritos y aplausos.

–¡Gooooooooool!

–¡Bravo!

Jorge entró en el campo y se abrazó a Tomeo.

–¡Sos genial, pibe!

Le dio un beso en la frente.

Los demás también corrimos para celebrarlo.

Había sido el mejor gol de Tomeo desde que yo le conocía.

Le abrazamos.

Y le dimos collejas.

–¡Goleador, oé, oé, oé!

–Tenés una forma muy peculiar de entender el «toque, toque, toque» –dijo Jorge riéndose.

La colegiada se acercó a Jorge.

–Entrenador, abandone el campo ahora mismo –le advirtió.

–Sí, sí, perdón –dijo–. Es que con la emoción del gol...

–Y los demás –ordenó–, a su campo. El partido tiene que continuar.

Rápidamente le hicimos caso, no fuera a empezar otra vez a sacar tarjetas.

Ezequiel se preparó para sacar de centro.

Desde el banquillo, la Besuievsky le estaba echando la bronca:

–¡Tenés que cerrar la subida del central! ¡Mirá lo que ha pasado con el gol!

–No ha sido culpa mía –se defendió Ezequiel, que no parecía acostumbrado a que le regañasen en público–. Dejame en paz.

Estaban empezando a ponerse nerviosos.

La árbitra pitó.

El capitán de La Loma sacó de centro. Pero lo hizo sin ganas, como si estuviera enfadado. Le pasó a su compañero sin mirarle.

Me di cuenta de que el número 10 estaba de espaldas, recibiendo instrucciones de la entrenadora. No se enteró de que el balón iba hacia él.

Pensé: «Ahora o nunca».

Salí disparado.

¡Y robé el balón antes de que el jugador de La Loma pudiera reaccionar!

Sin pensarlo, fui directo hacia su área.

Dejé atrás al lateral, que intentó salir a cubrirme.

Corrí con todas mis fuerzas.

Oía las voces lejanas de mis compañeros, que también subían al ataque, acompañándome.

Otro jugador salió a por mí. Se tiró con las piernas por delante, pero eché el balón a un lado y salté por encima.

Seguí avanzando con el balón controlado.

Directo hacia su portería. Estaba lanzado. Podía hacerlo.

Era la jugada del partido. Del torneo.

¡Había llegado el momento de marcar un gol después de tanto tiempo!

¡Esta vez sí!

El número 4 corrió hacia mí.

Levanté la vista.

Vi a Helena, Rosita y Toni corriendo, libres de marca.

En dos segundos tendría al defensa encima.

Tenía que tomar una decisión rápidamente.

¿Intentar marcar yo?

¿O pasar a mis compañeros?

Un segundo y se acabó.

Tenía que decidir...

Ya está: mi gol tendría que esperar.

Pasé el balón a la izquierda.

El número 4 me arrolló.

Pero mi pase alcanzó el área.

Rosita llegó la primera.

Y remató plácidamente.

El balón voló a media altura.

Rebasó a la portera, que no pudo hacer nada.

Y entró en la portería pegado al poste.

¡Gooooooooooooooooooooooooooool!

¡¡¡Golazo del Soto Alto!!!

Rosita me señaló:

–¡Morochooooo, sos un valiente!

Todos se rieron.

Me levanté y lo celebré con mis compañeros.

Yo no había marcado, pero era un gran gol.

Nos abrazamos formando una piña.

Era una remontada histórica.

Al fondo, a Alicia y Felipe parecía que les iba a dar algo: saltaban, gritaban, bailaban.

En el palco, el único que parecía tranquilo era el Maestro Sosa.

–Fútbol ser hermoso e inesperado –dijo–. Todo puede ocurrir.

–Ya, ya, todo muy lindo –dijo el doctor Bianchi mirando a Bernardo–, pero aquí hay alguien que va a tener que dar explicaciones en el Consejo Escolar.

Bernardo no sabía dónde meterse.

Un poco más abajo, mi padre y Esteban aplaudían.

Jorge también dio ánimos desde el banquillo:

–¡Bravo, pibes! ¡Podemos conseguirlo!

Miré el marcador:

La Loma, 3 - Soto Alto, 3.

Habíamos dado la vuelta al partido.

Pero aún quedaba lo más difícil.

Parece que todo el mundo marcaba en aquel torneo.

Toni.

Helena.

Rosita.

Incluso Tomeo.

Todos menos yo.

No quería pensar en eso. Lo importante era el equipo.

Podíamos ganar el obelisco mágico.

Estábamos a un paso.

Aunque la verdad es que me costaba olvidarme del gol.

Soy delantero.

Y llevaba más de tres meses sin marcar.

Muchísimo tiempo.

–¡Un último esfuerzo, pibes! –exclamó Jorge desde el banquillo.

La Besuievsky le miró y, a continuación, se giró hacia la grada.

Parecía que el público se había desinflado.

La entrenadora hizo un gesto con las manos y la gente volvió a apoyar a su equipo:

–¡Somos La Loma! ¡A por ellos! ¡Podemos ganar!

Desde el palco, Balzaretti y sus cinco pequeñines empezaron a cantar, y el resto de espectadores los siguieron:

> ¡En el campo de fútbol alzamos los corazones!
> ¡Saltamos, corremos, volamos como dragones!
> ¡Con el balón en los pies hacemos un poema!
> ¡Somos del colegio La Loma su emblema!

–¡Solo queda un minuto! –gritó Jorge señalando el marcador–. ¡Y vamos a la prórroga!

–Pero entonces, ¿qué hacemos? –preguntó Marilyn sin entender–. ¿Aguantamos, o intentamos atacar? ¿La prórroga nos conviene o no?

Buena pregunta.

Que se quedó sin respuesta.

Porque en ese momento, todos los espectadores al mismo tiempo bramaron:

–¡Lomaaaaaaaaaaaaaaaaaaaa! ¡Lomaaaaaaaaaaaaaaaa!

Era un grito atronador que retumbó por todo el campo.

Parece que habían recuperado la ilusión.

Ezequiel llevaba el balón controlado.

Avanzaba peligrosamente hacia nuestra portería.

Intentó regatear a Helena.

Pero ella no retrocedió. Al revés. Tocó ligeramente el balón con la bota... y se lo quitó.

Sin esperar ni un segundo, le pasó a Marilyn.

La capitana empezó a correr por el lateral, pegada a la banda.

No sé si lo he dicho, pero lo voy a repetir por si acaso.

Marilyn es la jugadora más rápida de nuestro equipo y una de las más rápidas que he visto en toda mi vida.

No hay nadie como ella corriendo por la banda.

–¡Todos arriba! –exclamó Jorge.

De inmediato, le hicimos caso.

Casi no quedaba tiempo.

El segundo tiempo estaba a punto de acabar.

Apenas quedaban unos segundos.

Era la última jugada del partido.

Teníamos que intentarlo.

Yo corrí con todas mis fuerzas por el extremo contrario del campo.

Vi que Toni, Helena y el resto también subían, preparados para rematar.

Pero sobre todo vi a Marilyn, con el balón en los pies, corriendo pegada a la línea, como un auténtico misil.

Daba la sensación de que no tocaba el suelo.

Era como si el balón y los pies de la capitana flotaran.

Dejó atrás a los rivales.

Corrió.

Corrió.

Y corrió.

Imparable.

Y cuando estaba a punto de llegar a la línea de fondo...

Centró al área.

El balón voló haciendo una parábola perfecta.

Allí estaban los jugadores de La Loma, preparados para despejar.

Y nosotros, dispuestos a rematar como fuera.

La pelota parecía caer a cámara lenta.

Yo entré por la parte más alejada del área.

No soy muy alto y los remates de cabeza no son mi especialidad.

Pero tenía que intentarlo. Era una ocasión única, y cualquier cosa podía ocurrir.

El balón cayó directo hacia el punto de penalti.

Había una auténtica maraña de jugadores de ambos equipos.

Casi no se veía.

Entonces escuché que alguien gritó:

–¡Míaaaaaaaaaaaaaaaaaaaa!

¿Quién era?

¿La portera de La Loma?

¿El defensa central?

¿Ezequiel?

Nada de eso.

Era uno de mis compañeros.

El último que yo me podía imaginar.

Entre las cabezas de unos y de otros apareció...

¡Camuñas!

¡Nuestro portero también había subido a rematar!

¡Nadie se podía imaginar algo así!

Llegó solo, sin nadie que le cubriera.

Pegó un salto tan brutal que voló por encima de todos.

¡Y golpeó con la cabeza el balón!

¡O más bien el balón le golpeó a él!

El caso es que la pelota impactó en su rostro y salió disparada hacia la portería.

El balón bajó a toda velocidad.

Rebotó en el suelo.

Pasó por encima de la pierna de la portera.

Y...

Y...

¡Entró en la portería!

¡¡¡Increíble!!!

¡GOOOOOOOOOOOOOOOOL DEL SOTO ALTO!

¡GOLAZOOOOOOO DE CAMUÑAS!

Todos estábamos atónitos.

¡El portero había metido el gol decisivo!

¿Cómo se le había ocurrido subir a rematar?

Entre el resto de jugadores, Camuñas asomó la cabeza y dijo:

–¡Ez que Jorge dijo que zubiéramoz todozzzz!

Al verle, estallamos en risas.

Camuñas se había vuelto a romper los dos dientes delanteros.

–Creo que tendré que ponerme otrazzz fundaz –murmuró.

La colegiada también estaba perpleja.

Levantó una mano y pitó.

¡Fin del partido!

En el marcador, el resultado definitivo:

La Loma, 3 - Soto Alto, 4.

Éramos los campeones del torneo.

¡Habíamos ganado el obelisco mágico!

Los cientos de espectadores no se movían, incapaces de reaccionar ante lo que había ocurrido.

Entonces, alguien se levantó en el palco. Y comenzó a aplaudir.

Era... el Maestro Sosa.

Al verle, otros le imitaron. Poco a poco, toda la grada se puso en pie aplaudiendo.

Era un gran gesto de deportividad. Habíamos luchado contra su equipo y habíamos ganado.

Estuvieron aplaudiendo un buen rato.

Nosotros saludamos y les dimos las gracias desde el campo.

Allí estábamos los diez jugadores del Soto Alto, titulares y suplentes, en silencio, sonriendo y disfrutando del momento.

Miré hacia el palco. Algo me llamó la atención.

El sol se reflejaba sobre un objeto de jade blanco.

El obelisco parecía brillar más que nunca.

A medianoche nos entregarían el trofeo.

Y tendríamos que pedir un deseo.

38

La ceremonia comenzó a las doce menos diez de la noche.

Los focos iluminaban el campo.

Estaba lleno de gente.

Había venido todo el mundo.

Era un momento único.

El momento que todos llevaban esperando 50 años.

En el centro del campo habían colocado un pedestal. Y encima de él estaba el Obelisco Mágico.

Varios policías de uniforme lo custodiaban.

Vestidos con sus mejores galas.

Delante del trofeo se encontraban, por este orden, el ayudante Romero, el doctor Bianchi y el Maestro Sosa.

Estaban sonrientes, satisfechos.

Formando un pasillo de entrada al campo se habían colocado los jugadores de La Loma. Todos con el chándal rojo del colegio.

Entonces, procedente del vestuario, apareció un grupo de personas caminando hacia el terreno de juego.

En cabeza, una niña mulata con el pelo rapado: Marilyn.

Detrás, nosotros nueve: Anita, Ocho, Toni, Camuñas, Angustias, Tomeo, Rosita, Helena y yo.

Cerrando el grupo, nuestro entrenador provisional, Jorge. Y a su lado, Alicia, Felipe, Esteban y mi padre.

Éramos los ganadores del torneo.

Al vernos, los integrantes de La Loma empezaron a tararear:

> ¡Tam tam tam ratatatam!
> ¡¡Tam tam tam ratatatam!!

Sin duda, era un gran recibimiento.

La Besuievsky sonrió a Jorge y murmuró:

–Enhorabuena.

Pasamos entre los jugadores de La Loma mientras ellos cantaban a pleno pulmón:

> No hay trofeo en el mundo
> como el famoso obelisco.
> No hay montaña ni risco
> tan especial ni tremebundo.

Helena y Ezequiel cruzaron una mirada, pero no le di mayor importancia.

Por fin llegamos al centro del campo.

Nos colocamos frente al obelisco.

El doctor Bianchi, con su habitual voz de pito, dijo:

–Sois los merecidos ganadores del Trofeo del Obelisco en su 50 Aniversario.

Nadie se rio al oírle.

Al contrario, todo el mundo estaba atento y en silencio.

Parece que al fin la gente se había acostumbrado a su tono de voz.

Romero se acercó al trofeo, lo agarró con mucho cuidado y se lo entregó a Marilyn.

La capitana lo levantó con ambas manos.

Y un gran aplauso recorrió el lugar.

–¡Bien jugado, gallegos!

–¡Bravo por los pelados!

Marilyn lo sostuvo en lo alto mientras todos disfrutábamos del momento. Lo habíamos conseguido.

A continuación, Bernardo pidió un momento de silencio.

Y dijo:

–Además del trofeo, tenemos una sorpresa para los ganadores. La mayoría de sus familiares y amigos están muy lejos. Sé muy bien lo que es echar de menos a las personas que más quieres...

Bernardo miró a Helena.

Y continuó hablando:

–Así que hemos preparado una conexión especial con España. ¡Desde el colegio Soto Alto, unas personas os quieren saludar!

El videomarcador se encendió y apareció en la pantalla...

¡El gimnasio de nuestro colegio!

Había un montón de gente: padres y madres, profesores, amigos, familiares...

Reconocí a Marimar, la madre de Helena.

Y a Laura, la madre de Anita.

Y a muchos otros, como Radu, el bedel que cuidaba nuestro campo de fútbol.

Y, por supuesto, allí estaban mi madre y mi hermano Víctor.

Mi madre hizo un gesto y exclamó:

–¡Chicos, estamos orgullosos de vosotros! ¡Sois los mejores!

–Enano, sigues sin marcar, ¿eh? –intervino mi hermano–. ¡Eres un manta! ¡Ja, ja, ja, ja, ja!

–¡Víctor, por favor! –le cortó mi madre–. Nada, ni caso, que no sabe lo que dice. Es que aquí son las cinco de la madrugada y estamos todos un poco dormidos... Pero que lo habéis hecho todos genial, y que os echamos mucho de menos. ¡Volved pronto! ¡Y comed verdura!

La gente en el campo de La Loma se rio y aplaudió al escuchar a mi madre.

–¡Tu vieja es la bomba! –dijo Rosita.

Todo era muy emocionante. Estábamos muy contentos.

Aunque había alguien que estaba un poco chof.

Helena con hache no se reía. Tal vez, al ver a su madre en la pantalla, se había quedado un poco planchada por no poder estar con ella.

–¡Bueno, y ahora el momento que todo el mundo está esperando! –anunció el doctor Bianchi.

–¡El deseo del obelisco! –dijo Romero.

Marilyn dejó el trofeo de nuevo sobre el pedestal.

–Queda solo un minuto para la medianoche –dijo Bianchi–. ¿Ya pensaron qué deseo van a pedir?

La capitana asintió con mucha seguridad.

–Hemos hablado entre todos –dijo–, y queremos que el deseo lo pida alguien que se lo merece más que nadie.

Todo el mundo se quedó mudo, esperando a ver de quién se trataba.

Marilyn solamente dijo tres palabras:

–¡El Maestro Sosa!

Al escuchar su nombre, el anciano dio un respingo.

–Maestro Sosa no esperaba algo así –dijo.

–Usted lo fabricó –dijo Marilyn.

–Y ahora tenés la oportunidad de recuperar la magia –dijo Rosita.

Aunque él no lo había pedido, todo lo del robo lo habíamos hecho por él.

Sin embargo, el maestro negó con la cabeza.

–Yo muy viejo ya. Alguien más joven deseo debe pronunciar. Alguien que ha portado los valores del obelisco.

–¿Pero de quién está hablando, Maestro Sosa? –preguntó Romero.

–Mire que están a punto de dar las doce –le apremió el doctor Bianchi.

–Una persona de noble corazón el deseo debe pedir –dijo mientras se dirigía a nosotros.

Por un momento me pareció que miraba a Jorge.

Pero...

No.

Se refería a otra persona.

El Maestro Sosa dio un paso, otro más, otro... y se plantó...

¡Delante de mí!

Me agarró de una mano y dijo:

–Tu deseo piensa bien. Justo a medianoche. Cincuenta años después. Una oportunidad solo tendrás.

–¿Yo?

Él asintió.

Un murmullo recorrió el campo.

–¿Ha elegido al enano? –preguntó mi hermano desde la pantalla.

–¡Francisco, mira a ver lo que pides! –exclamó mi madre.

No me lo podía creer.

El Maestro Sosa quería que yo pidiera el deseo.

–Si todos están de acuerdo, que lo pida el galleguito pelado –dijo el doctor Bianchi–. Pero deprisa, que se va a pasar la hora.

El Maestro Sosa tiró de mí y me colocó junto al obelisco.

–¿Seguro que no quiere pedir usted el deseo y recuperar la magia? –le insistí al maestro.

–Nunca tan seguro estuve –respondió–. Tú buscas en tu interior y deseo pides.

Observé el obelisco.

–¿Qué tengo que hacer? –pregunté.

–Sobre obelisco poner manos –me indicó.

Le hice caso y coloqué mis manos sobre el trofeo.

–Y a las doce en punto pronunciar deseo –dijo.

–¿En voz alta?

–Tú no tener miedo –asintió el maestro.

Ya he dicho que no sé si creo en la magia.

Pero no perdía nada por intentarlo.

Pedir un deseo delante de miles de personas era mucha responsabilidad.

Si lo hubiera sabido, lo habría pensado detenidamente.

Casi no quedaba tiempo.

–Faltan solo diez segundos –indicó Romero.

SE APAGAN LAS LUCES DEL CAMPO. UN SOLO FOCO ILUMINA EL OBELISCO. TENGO LAS DOS MANOS SOBRE ÉL. TODOS LOS PRESENTES EMPIEZAN UNA CUENTA ATRÁS EN VOZ ALTA.
¡DIEZ!

39

MENUDA PRESIÓN. ¿QUÉ PEDIR?
¡NUEVE!

NOTO LA MIRADA DE MI MADRE DESDE LA PANTALLA. SI POR ELLA FUERA, PEDIRÍA VERDURAS GRATIS PARA TODA LA VIDA O ALGO ASÍ.

LO PRIMERO QUE ME VIENE
A LA CABEZA ES PEDIR UN GOL.
O, MEJOR DICHO, UN MILLÓN DE GOLES.
¡OCHO!
¡SIETE!
O GANAR EL BALÓN DE ORO.
ESO SERÍA GENIAL.
¡SEIS!
MIS COMPAÑEROS DE EQUIPO
ME ESTÁN MIRANDO. Y MIS PADRES.
Y MI HERMANO. NO SÉ CÓMO HE PODIDO
LLEGAR A ESTA SITUACIÓN.
¡CINCO!

QUIZÁ PODRÍA PEDIR ALGO BUENO PARA TODOS. POR EJEMPLO, UN CASTILLO GIGANTE DONDE PUDIÉRAMOS VIVIR TODOS JUNTOS.
¡CUATRO!
QUÉ TONTERÍA.
PODER VOLAR.
¡TRES!
LEER EL PENSAMIENTO DE LA GENTE.
¡DOS!
SOLO UNA OPORTUNIDAD TENDRÁS.

¡UNO!

YA ESTÁ.

¡QUE HELENA
CON HACHE REGRESE
A ESPAÑA
Y LOS FUTBOLÍSIMOS
ESTEMOS SIEMPRE
JUNTOS!

LAS LUCES
DEL CAMPO
SE ENCIENDEN.

TODO EL MUNDO
ME MIRA
EN SILENCIO.

LO HE DICHO
EN VOZ ALTA.

ME QUIERO
MORIR
DE VERGÜENZA.

–Rogamos coloquen su equipaje de mano en los compartimentos superiores y apaguen todos sus dispositivos electrónicos.

La voz de la azafata se escuchó por todo el avión.

Yo estaba sentado en el asiento 12E.

A mi lado se encontraba Camuñas.

–No te preocupezzz, ya verazzzz cómo pronto metezzz algún gol –dijo mostrando sus dientes rotos.

–Seguramente –respondí.

–Si hazta yo mizmo he marcado –insistió.

El avión de vuelta a España estaba a punto de despegar.

Nos habíamos despedido de todos en el aeropuerto.

Del Maestro Sosa.

El doctor Bianchi.

El ayudante Romero.

Jorge.

Bernardo.

Rosita.

Y...

Helena.

Por lo que se ve, mi deseo no había funcionado.

Bueno, eso de la magia ya se sabe que es un cuento para niños pequeños.

Helena se había quedado a vivir con su padre.

No quería pensar más en ello.

Lo importante era que habíamos jugado un partido increíble.

Y que habíamos ganado el torneo.

Eso sí eran cosas reales.

–Oye, Pakete, eso que dijiste anoche de los «futbolismos» –me preguntó Felipe, asomándose desde el asiento de atrás–. ¿A qué te referías exactamente?

–Los futbolismos –intervino Marilyn– somos... los que jugamos al fútbol. Su propio nombre lo indica: «futbolismos».

–Ah –dijo Felipe, poco convencido.

Seguramente no debía haber pronunciado el nombre de los Futbolísimos delante de más de mil personas.

Pero fue lo primero que me salió.

Además, en ese momento me daba igual.

Desde mi sitio, pude ver cómo la azafata cerró la puerta del avión.

–Comprueben que sus asientos están en posición vertical y las mesillas delanteras plegadas –dijo.

Ahora sí que nos íbamos.

Pufffffffffff...

–Oye, habréis guardado el obelisco en un sitio seguro –dijo mi padre–. Solo faltaría que con todo el lío lo perdamos.

–Lo he facturado en la maleta –dijo Esteban.

–Pero hombre, Esteban, las cosas importantes no se facturan –dijo mi padre–. Hay que llevarlas encima. ¿Tú sabes la cantidad de maletas que se pierden en los aeropuertos?

–No digas eso, Emilio –dijo Alicia–. Seguro que no pasa nada.

Yo no quitaba ojo a la puerta del avión.

Tal vez esperaba un milagro en el último instante.

–Ya, ya... No pasa nada –continuó mi padre–, hasta que un día pasa.

Siguieron hablando de maletas y aeropuertos un buen rato. Pero yo dejé de escucharles.

–¿Ze puede zaber qué mozca te ha picado? –me preguntó Camuñas.

–¿A mí?

–¿Por qué mirazzz la puerta de eza forma? –insistió.

–Yo no...

Pero no pude responder.

Porque entonces...

¡Ocurrió!

Lo prometo.

La azafata dijo por el altavoz:

–Disculpen, tenemos que abrir de nuevo la puerta del avión para recibir a un pasajero rezagado. La operación retrasará el despegue solo unos minutos.

Me quité el cinturón de seguridad y me puse en pie.

No podía ser verdad.

Estaba sucediendo.

Dos azafatas abrieron la puerta.

Y alguien entró en el avión.

Alguien a quien conocía muy bien...

–¡Me voy a España con ustedes, pibes! –exclamó.

¿Eh?

La persona que entró en el avión era...

Jorge.

El guardia de seguridad.

–Ahora que ya gané mi primer trofeo, me picó el gusanillo –exclamó entusiasmado mientras atravesaba el pasillo–. A lo mejor en la madre patria puedo triunfar como entrenador. ¿A que es genial?

–Sí, genial –repetí.

Jorge se sentó una fila más atrás, junto a Alicia y Felipe.

Me alegró verle tan contento.

Pero no era la persona que yo esperaba.

Me senté de nuevo.

Y volví a ponerme el cinturón.

Un poco chafado.

Tendría que acostumbrarme a que las cosas no siempre salen como uno quiere.

Una voz me dijo:

–¿A qué viene esa cara?

Levanté la mirada.

Y allí, en medio del pasillo.

Con una mochila colgando de los hombros.

Estaba...

¡Helena con hache!

–Pero... pero... ¿qué haces tú aquí? –pregunté sin poder creérmelo.

–¿No te alegras de verme?

No sabía qué decir.

¡Estaba tan contento que podría haberme puesto a dar saltos en ese mismo instante!

Era... Helena... y estaba allí... ¡Delante de mí!

–Si te parece bien, me voy a España con vosotros –dijo.

–Me parece muy pero que muy bien –dije yo.

Helena guardó su mochila y se sentó justo al otro lado del pasillo.

No podía dejar de mirarla.

Tenía miedo de que fuera una visión.

La azafata dijo por megafonía, muy seria:

–Señoras y señores, ahora sí cerramos las puertas definitivamente. Por mucho que se empeñen, nadie más va a subir a este avión. En breves instantes despegaremos rumbo a Madrid. Que tengan ustedes muy buen vuelo.

Camuñas preguntó a Helena:

–¿Qué ha dicho tu padre de que te vuelvazzz a Ezpaña?

–Prefería que me quedara con él, claro. Pero lo ha entendido. Echo mucho de menos el colegio. Y a mi madre. Y... a mis amigos.

–Oye, Pakete –dijo Camuñas–, ¿por qué sonríezzz todo el rato?

–Yo... no... o sea... sonrío... porque estoy contento... ¿Qué pasa, que no puedo sonreír yo ahora? –respondí–. ¡Y deja ya de hacer tantas preguntas, que me lío!

Camuñas y Helena se rieron.

Por primera vez en los últimos meses, me sentí feliz.

¡Helena regresaba con nosotros!

Seguro que a partir de ahora las cosas saldrían bien.

Los Futbolísimos volveríamos a ganar algún partido en la liga.

Y a resolver misterios.

Y seguro que, tarde o temprano, yo metería un gol.

Un momento después, el avión comenzó la maniobra de despegue.

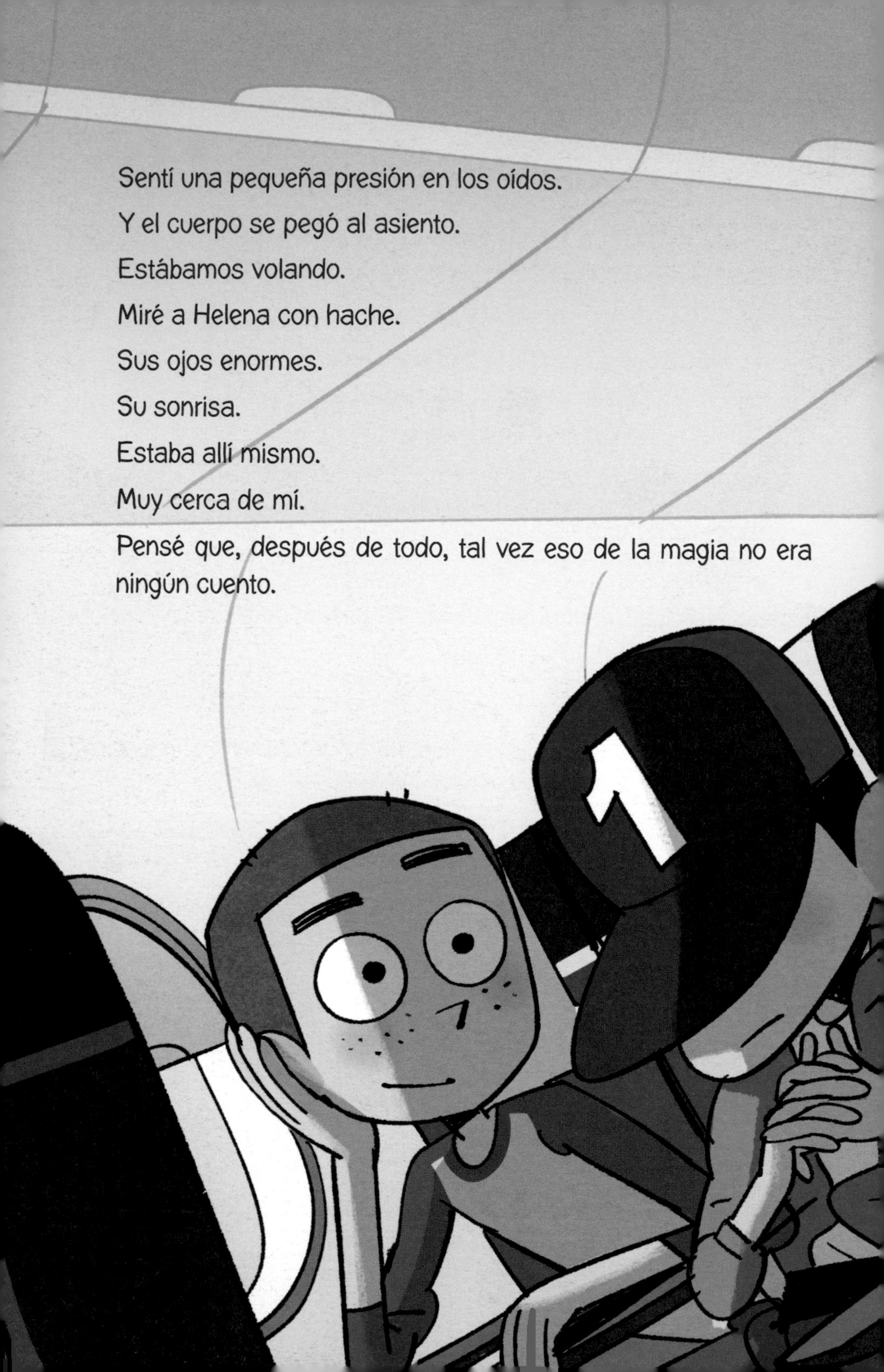

Sentí una pequeña presión en los oídos.

Y el cuerpo se pegó al asiento.

Estábamos volando.

Miré a Helena con hache.

Sus ojos enormes.

Su sonrisa.

Estaba allí mismo.

Muy cerca de mí.

Pensé que, después de todo, tal vez eso de la magia no era ningún cuento.

LOS